東大脳に挑戦！
世界史クイズ

東京大学クイズ研究会

JN095788

大和書房

はじめに

　はじめまして。東京大学クイズ研究会です。東京大学クイズ研究会は1982年に設立された、東京大学以外の学生も所属するインターカレッジ・サークルで、また、各大学のクイズ研究会との交流も持ちながら、日々楽しんでクイズの実力を高める活動をしています。これまでの所属メンバーには数々のクイズ王たちが名を連ね、最近ですと、第30・31回『全国高等学校クイズ選手権』の優勝者で知識集団QuizKnock代表の伊沢拓司さん、TBS『東大王』で活躍されている鶴崎修功さんや林輝幸さんはみなさんご存じのことかと思います。そんな私たちが、受験にも役立つ世界史の問題集を作りました。

　世界史は、人物や事件などの暗記が必要な科目ですが、記憶は情報同士を関連付けることによって定着しやすくなります。古代ギリシアの時代から、弁論術で用いられたニーモニクス（記憶術）というものが存在し、情報を絵や音と結びつけて覚えやすくする方法がありました。この本でも、重要なキーワード1つに対して、3つのクイズを作成、単独ではなくセットで覚えられるようになっています。

　また、近年の世界史学習法としては、時代ごとに勉強していく教科書スタイルではなく、各地域の歴史をひとかたまりで学んでいく形が多くなっています。このやり方で分類したのが1〜3章で、古代からの「タテ」の流れを踏まえた地域ごとのイメージをつかむことができます。一方、世界の一体化が進んだ大航海時代からは、同時代に起こった別々の出来事がつながっていきます。その「ヨコ」の流れをつかめるようにしたのが4〜8

章です。単独で発生し、独立して成長した文明が、集合していくさまが感じ取れると思います。それによって、受験生はもちろん社会人の方々にとっても世界情勢の背景を学べる教養書としてご利用いただけると考えています。もちろん、「へぇー」と思えるような雑学的クイズも散りばめています。受験には登場しないかもしれませんが、雑学は記憶が強化されるアイテムとして働きます。クイズですので、周囲のお友達や同僚と楽しんでもらえば、「繰り返し」によって記憶がさらに強化されると思います。

　また、各章の間には、私たちの受験にまつわるコラムを掲載しています。ぜひ、学習法や記憶法の参考にしてみてください。

　世界史はこの一冊で語りつくせるものではありません。例えば、イギリスのブレグジット交渉が難航した理由の一つにアルスター地方の処遇がありますが、それはアイルランドとイギリスの根深い問題が関わっています。ご存じのように、北アイルランドはイギリスに属していますが、長く領土問題を抱えています。ただ、イギリスのEU加盟によって検問所は撤廃され、人や物資が自由に行き来するようにもなりました。そんな中でのイギリスのEU離脱は両国間に緊張が走る問題でもあったのです。こういった背景を知ることが世界史を学ぶ醍醐味ではないでしょうか。

　このクイズ問題集が世界史という大きな流れをつかむ手助けとなり、さらに深く歴史を探る旅の第一歩となることを願っています。

東京大学クイズ研究会

CONTENTS

はじめに……………………………………………………………002

第❶章
古代から中世のヨーロッパ　　007

ペルシア戦争、十二表法、ポエニ戦争、五賢帝、ラティフンディア、ガレー船、キリスト教迫害、コンスタンティノープル、ユスティニアヌス帝、聖像崇拝禁止令、カール大帝、聖職叙任権闘争、大憲章（マグナ＝カルタ）、グーテンベルク、レコンキスタ、エンコミエンダ制、ルター、コンキスタドール、三圃制、十字軍、自由都市、百年戦争

第❷章
二大文明を覆うイスラーム世界　055

シュメール人、ハンムラビ法典、エジプトはナイルの賜物、バビロン捕囚、アショカ王、カニシカ王、タラス河畔の戦い、スレイマン1世、ティムール、イスファハーン、ムスリム商人、カーリミー商人、ナーランダー、カリフ

第❸章
漢民族を軸に変化していく中国　　087

封建制（周）、枢軸時代、諸子百家、始皇帝、武帝、塩・鉄・酒の専売制、文選、景徳鎮、ジャムチ、鄭和、王安石、モンゴル帝国

第 **4** 章

大航海時代による世界のつながり 115

宗教改革、マテオ＝リッチ、小中華思想、ジズヤ、ウエストファリア条約、トマス＝ペイン、マラッカ海峡、商業革命、オランダ独立戦争、東インド会社、大西洋三角貿易、価格革命、啓蒙専制君主、産業革命

第 **5** 章

独立と革命の時代 147

アメリカ独立戦争、フランス革命、ナポレオン、南下政策、ウィーン体制、ビスマルク、パクス＝ブリタニカ、モンロー宣言、ジャガイモ飢饉、アヘン戦争、中体西用、南北戦争、フェビアン協会、セシル＝ローズ、セオドア＝ローズヴェルト

第 **6** 章

帝国主義と二つの大戦 181

甲午農民戦争、門戸開放宣言、義和団事件、シオニズム、辛亥革命、サラエボ事件、レーニン、ヴェルサイユ体制、ミュンヘン会談、大西洋憲章、ニューディール政策

CONTENTS

第**7**章

大戦後の国際主義と民主運動　207

ブレトン＝ウッズ体制、中東戦争、アジア・アフリカ会議、ブラント、
中ソ対立、キューバ危機、ペレストロイカ、ベルリンの壁の崩壊

第**8**章

グローバル化する現代社会　227

持続可能な開発、マーストリヒト条約、アウンサンスーチー、ブレグジット

東大入試攻略法
················· 54、86、114、146、180、206、226

2021年度東京大学二次試験問題（第1問）ならびに出題意図
·· 237

第1章
古代から中世の
ヨーロッパ

1章では古代から中世にかけてのヨーロッパを取り上げる。
東大の大論述問題（450〜600文字）では
近現代を問われることが多いが、2021年は
「5世紀から9世紀にかけての地中海世界において
3つの文化圏が成立していった過程」、
2017年には「ローマおよび黄河・長江流域で
『古代帝国』が成立するまでの社会変化」が出題された。
アメリカと共に世界の中心を担ってきたヨーロッパだけに
第2問、第3問対策としても特色を押さえておきたい。

KEY WORD

ペルシア戦争

Q001 ペルシア戦争の契機となった、ミレトスを中心とした反乱とは何でしょう？

Q002 ペルシアの再侵攻に備え、アテネを盟主に結成された軍事同盟は何でしょう？

Q003 アケメネス朝ペルシアとギリシア諸ポリスの間での相互不可侵を約し、3度にわたる戦争を終結させた和約は何でしょう？

答え→

A001 イオニア植民市の反乱

A002 デロス同盟

A003 カリアスの和約

 解説

　ペルシア戦争は、紀元前500年から紀元前449年の間で3度にわたって行われた、アケメネス朝ペルシアとギリシアの諸ポリスとの間の戦争。紀元前490年のマラトンの戦い、紀元前480年のサラミスの海戦、紀元前479年のプラタイアの戦いから成る。マラトンの戦いではミルティアデス率いる重装歩兵軍が、サラミスの海戦ではテミストクレスや無産市民が活躍した。サラミスの海戦と同年にはテルモピレーの戦いが起き、レオニダス王率いるスパルタ軍がペルシア軍に敗れ全滅し、ペルシア軍がアテネに侵入するのを許している。紀元前449年には、ペルシアとデロス同盟間でカリアスの和約が締結され、ペルシア戦争は終結を迎えた。

ペルシア戦争（前500〜前449）時の地中海

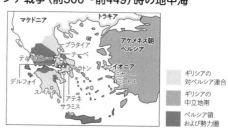

マケドニア
トラキア
プラタイア
アケメネス朝
ペルシア
テルモピレー
テーベ
デルフォイ
マラトン
イオニア
サルデス
ミレトス
スパルタ
アテネ
サラミス

ギリシアの
対ペルシア連合

ギリシアの
中立地帯

ペルシア領
および勢力圏

KEY WORD

十二表法

Q004 十二表法はその名の通り12枚の表から成り
ますが、1〜3枚目にはどのような内容が書
いてあるでしょう?
①行政法
②刑事訴訟法
③民事訴訟法

Q005 著書『歴史』の中で、ローマの発展の理由
を政体循環論の立場から述べている、古代
ギリシアの歴史家は誰でしょう?

Q006 アメリカの上院議員を表す英単語の語源に
もなっている、ラテン語で「元老院」を意
味する単語は何でしょう?

答え➡

A004 ③民事訴訟法

A005 ポリュビオス

A006 セナトゥス

 解説

　ラテン人の一勢力だったローマは、紀元前509年にエトルリア人の王を追放して都市国家を樹立、共和政を開始した。当初、平民（プレブス）は重装歩兵としてローマの勢力拡大とともに重要性が増していたが参政権はなく、貴族（パトリキ）のうちの公職経験者が実質上の最高決定機関である元老院を構成していた。定員2名・任期1年で独裁的権限を持つ執政官（コンスル）も貴族の中から選ばれており、市民と貴族の対立が激しくなるなか、聖山闘争をきっかけに前5世紀初頭には定員2名・任期1年で市民の利益と権利を守る役職として護民官が設置され、前450年頃には慣習法を基に最初の成文法である十二表法が制定された。これによって貴族の自由な法運用が制限され、前367年のリキニウス・セクスティウス法で執政官の2名のうち1名を平民から選出すること、前287年のホルテンシウス法で平民だけからなる議会である平民会の決議が元老院の承認なしに国法になることが定められ、平民の権利が拡大されていった。ただし、公職を独占していたのは富裕市民に限られ、有力貴族とともに新貴族（ノビレス）と呼ばれた。ポリュビオスはローマ発展の理由を、執政官、平民会、元老院の混合政体であったとしている。

KEY WORD

ポエニ戦争

Q007 ポエニ戦争の「ポエニ」とはラテン語で何を意味するでしょう?

Q008 第2回ポエニ戦争におけるザマの戦いでハンニバル率いるカルタゴ軍を破った、ローマ軍の軍人は誰でしょう?

Q009 ローマ帝国の支配下にあった時代、現在のパリは何という地名だったでしょう?

答え→

A007 フェニキア人

A008 スキピオ(・アフリカヌス、大スキピオ)

A009 ルテティア

 解説

　カルタゴを本拠地に地中海の制海権を握っていたフェニキア人と、イタリア半島を統一して勢いに乗っていたローマとの間では、紀元前264年から3回にわたってポエニ戦争が繰り広げられた。ローマは、第1回ポエニ戦争でシチリアを、第2回ポエニ戦争でヒスパニアを奪取し、第3回ポエニ戦争ではついにカルタゴを滅ぼす。征服した土地は属州としてローマに組み込まれたが、戦争の長期化と属州からの安価な穀物の流入により中小農民が没落、内政は不安定に陥っていった。護民官のグラックス兄弟が改革を試みるも元老院保守派に阻害されるなど、元老院を主とする閥族派と平民会を拠点とする平民派による抗争は続き、共和制ローマは混乱期に突入していく。紀元前60年には、軍人のポンペイウス、平民派のカエサル、大富豪のクラッススによる第1回三頭政治を執るが、その後、カエサルはガリア遠征などで力を持ったことで独裁制を敷き、ユリウス暦（太陽暦）の導入などの諸改革を実行する。だが、元老院の反感を買ったカエサルはブルトゥスの手で暗殺され、結果、「内乱の1世紀」と呼ばれた混乱期は、オクタウィアヌスによって帝政ローマが始動するまで続いた。

KEY WORD

五賢帝

Q010 パンテオンや、世界遺産であるポン・デュ・ガールの建造にもかかわった、オクタウィアヌスの腹心の軍師といえば誰でしょう?

Q011 ハドリアヌスがローマ防衛のため築いた「長城」は現在のどこの国にあるでしょう?

Q012 五賢帝の一人マルクス゠アウレリウス゠アントニヌスは当時の中国で、どのような名前で記述されていたでしょう?

答え→

A010 アグリッパ

A011 イギリス

A012 大秦王安敦

解説

　カエサルの死後、オクタウィアヌスはアントニウス、レピドゥスとともに第2回三頭政治を行ったがすぐに解消してレピドゥスを追放、ついでアントニウスとクレオパトラの連合軍を紀元前31年にアクティウムの海戦で破った。クレオパトラは服毒自殺し、エジプトのプトレマイオス朝は滅亡することとなる。アグリッパの支えもあり、ローマの混乱を収めたオクタウィアヌスは紀元前27年に元老院から皇帝の称号であるアウグストゥスを授けられ、元老院と皇帝が協力してローマ帝国を収める元首政（プリンキパトゥス）を開始した。96年に即位したネルウァ以降、初の属州出身の皇帝であり、ダキア（現在のルーマニアあたり）を征服するなどローマ帝国の領土を拡大させ最大版図を築いたトラヤヌス。征服政策を廃止し、ブリタニアに長城を建設するなど異民族からの防衛を強化したハドリアヌス。ハドリアヌスの養子となって帝位を即位したアントニヌス＝ピウス。ストア派の哲学者で「哲人皇帝」と呼ばれたマルクス＝アウレリウス＝アントニヌスという5人は五賢帝と称され、非常に安定した統治がなされたことから「パクス＝ロマーナ（ローマの平和）」と呼ばれている。『後漢書』には、166年に大秦王安敦の使者が日南郡（現在のベトナム中部）にやってきたという記述がある（ただし、使者が本物であったかは定かではない）。

KEY WORD

ラティフンディア

Q013 小麦、トウモロコシ、ぶどう、オリーブの
うち、ラティフンディアで栽培された作物
として明らかに適切でないものは何でしょ
う？

Q014 古代ローマの風刺詩人ユウェナリスは自ら
の詩中で、元首政下のローマ市民が政治に
興味を持たずに権力者からの恩恵を享受す
る一方だったことについて「何と何」と表
現したでしょう？

Q015 212年にカラカラ帝が発した、ローマ帝国
内の全自由人にローマ市民権を付与する法
律を何というでしょう？

答え→

A013 トウモロコシ

A014 パンとサーカス（見世物）

A015 アントニヌス勅令

 解説

　ポエニ戦争以降、ローマ帝国が領土拡大するにつれて富裕貴族は、征服地の土地の買い占めと、戦争で没落した中小農民や戦争捕虜などの奴隷化を基盤にしてラティフンディア（土地経営）を行った。ラティフンディアでは小麦を主とする穀物やぶどうなどの商品作物を作り、ローマなどの都市に供給した（トウモロコシは15世紀にアメリカ大陸からヨーロッパに伝わった）。そのため都市の人々は食糧に困らず、剣奴の決闘を闘技場で見るなどの文化的に豊かな生活を享受できた。しかし、パクス＝ロマーナの時代が進んだことで新しい奴隷の供給が途絶えると、ラティフンディアに代わって自給自足的な小作制の農業形態・コロナトゥスが浸透した。コロナトゥスにおける小作人であるコロヌスは自由身分であり、カラカラ帝以後はローマ市民権も有した。その後、235年頃から続いた、各地の属州の軍人が皇帝に次々と担ぎ上げられる「軍人皇帝時代」では、社会不安が高まってコロヌスの脱走が相次いだが、332年、コンスタンティヌス帝はコロヌスの移動を禁止し、コロヌスは中世農奴制における半奴隷の農奴の基礎となった。

KEY WORD

ガレー船

Q016 多くの場合ノルマン人のことを指す、中世ヨーロッパにおいて海賊行為を行っていた人々のことを総称して何というでしょう？

Q017 インド洋で、10月から4月まで（寒候期）は北東、4月後半から10月前半にかけて（暖候期）は南西から吹く季節風のことを、古代ギリシアの伝承でこれを発見したとされる人物の名前から何と呼ぶでしょう？

Q018 人力でオールを漕いで航行するガレー船が地中海で発達した理由は何でしょう？

答え➔

A016 ヴァイキング

A017 ヒッパロスの風

A018 風が弱いから

 解説

　海上での風力に乏しい地中海では、人力による櫂で進航するガレー船が発達した。古代ギリシアや古代ローマでは接舷して梯子で敵船に侵入する軍船として、ペルシア戦争でのサラミスの海戦、共和制ローマ末期でのアクティウムの海戦で活躍を見せ、貿易船としてはヒッパロスの風を利用し、インドのサータヴァーハナ朝やインドシナ半島の扶南（ふなん）やチャンパーとの交易を活発にさせた。扶南のオケオ遺跡からはローマ金貨が出土するほか、その交易の様子は1世紀頃のギリシア語文献『エリュトゥラー海案内記』に記述されている。中世では、オスマン帝国の躍進を印象づけたプレヴェザの海戦など、船首を相手の船体に突っ込ませて破壊する戦法で16世紀まで活躍した。　一方、スカンディナビア半島が原住地であったノルマン人は8〜11世紀、喫水の底の浅いヴァイキング船でヨーロッパ全域に侵入した。9世紀後半にはルーシと称する一族が、ドニエプル川流域にノヴゴロド国（建国者：リューリク）やキエフ公国を建国。ノルマン系デーン人のクヌートはイングランドを征服しデーン朝を創始、王位がアングロ＝サクソン系に移行したあと、1066年にはヘースティングズの戦いで再びノルマン系のノルマンディー公ウィリアム（ノルマンディー公国は911年にノルマン人のロロが建国）が勝利し、ノルマン朝を創始した。ノルマン人はジブラルタル海峡から地中海にも侵入し、1130年には両シチリア王国を建国した。ちなみに、ムスリム商人が用いた大きな三角帆が特徴の帆船はダウ船という。ムスリム商人はインド方面とともに東アフリカのマリンディやザンジバルなどの港湾都市との交易を盛んに行い、結果、現地語とアラビア語が融合しスワヒリ語が形成された。

KEY WORD

キリスト教迫害

Q019 十字架上のイエス・キリストが絶命したかどうかを確かめるために用いられた槍を、イエスの横腹を刺したとされるローマ兵の名前から何と呼んだでしょう？

Q020 迫害されたキリスト教徒の礼拝所としても用いられた、古代ローマの地下墓地のことを何というでしょう？

Q021 エフェソス公会議で異端とされたネストリウス派キリスト教はのちにモンゴルや中国に伝わりましたが、唐代の中国では何と呼ばれていたでしょう？

答え →

A019 ロンギヌスの槍

A020 カタコンベ

A021 景教

 解説

　紀元後28年頃、イエスは、ユダヤ教の選民思想や律法主義を否定し、神の前の平等や神の愛による救済、隣人愛を説いていくが、ローマ帝国に反乱とみなされ、ゴルゴタの丘で処刑されてしまう。しかし、イエスを救世主（メサイア）とし、復活を信じるペテロ（初代ローマ教皇）やパウロら信者により、帝国中に「キリスト教」が布教される。キリスト教の急激な拡大を脅威とみたネロ帝はキリスト教徒を迫害、ペテロやパウロは殉教する。軍人皇帝時代を終わらせて帝国を立て直したディオクレティアヌス帝も、皇帝崇拝や専制君主政を目指し、ローマの神々や皇帝像の礼拝を拒否するキリスト教徒を大迫害した。ディオクレティアヌス帝は国境防御のため四帝分治制（テトラルキア）を敷き、東西で正副帝を置いたが、コンスタンティヌス帝は帝国統治に利用しようと、313年のミラノ勅令で勢力を拡大していたキリスト教を公認する。325年のニケーア公会議では三位一体説を主張するアタナシウス派を正統とし、アリウス派はイエスを人間とする教義のために異端とされるが、帝国内に侵入しつつあったゲルマン人ら異民族に広まっていく。以降、ユリアヌス帝が361年にキリスト教を再び抑圧するが、392年にテオドシウス帝がキリスト教を国教とすると、431年にエフェソス公会議でネストリウス派が、451年にカルケドン公会議で単性論派が異端とみなされる。だが、テオドシウス帝の死後、ローマ帝国は東西に分裂し、キリスト教におけるローマ教会・コンスタンティノープル教会につながっていく。

KEY WORD

コンスタンティノープル

Q022 コンスタンティノープルという都市名の由来となった、ローマ帝国の皇帝は誰でしょう？

Q023 ユスティニアヌス帝が建立したが15世紀にモスクへと変えられた、ビザンツ様式の宗教施設は何でしょう？

Q024 コンスタンティノープルの、古代ギリシアと現在の名称はそれぞれ何でしょう？

答え➔

A022 コンスタンティヌス帝

A023 聖ソフィア（ハギア・ソフィア）大聖堂

A024 ビザンティオン（ビザンティウム）、イスタンブール

解説

330年、コンスタンティヌス帝（帝位を巡った戦いで勝利した際、神から啓示を受けていたという伝承を持つ）によってローマ帝国の首都とされ、彼の名にちなむ都市名となったコンスタンティノープルだが、その前身は古代ギリシアが地中海近辺に設けた植民市の一つで、当時はビザンティオン（ビザンティウム）と称されていた。後世になり、7世紀頃以降の東ローマ帝国をビザンツ帝国と呼んで区別するようになるが、その名称はビザンティウムにちなむものである。また、コンスタンティヌス帝はミラノ勅令によってキリスト教を公認の宗教としており、6世紀にはユスティニアヌス帝によってギリシア正教会の聖ソフィア大聖堂が立てられるなど、コンスタンティノープルはローマ帝国、正教会にとって重要な都市として大きな発展を見せた。だが、15世紀にオスマン帝国が支配し、帝国の首都とするとこの地はイスタンブールと称されるようになる。その際、聖ソフィア大聖堂もモスクへと変えられ、イスラーム建築でみられる聖塔のミナレットが聖堂の四隅に設けられるなど、現在見られる姿となった。

KEY WORD

ユスティニアヌス帝

Q025 「ゴート風の」という意味の英語を語源とし、12世紀から15世紀ごろまでヨーロッパで栄えた建築様式で、ケルン大聖堂やノートルダム大聖堂に代表されるのは何でしょう？

Q026 ユスティニアヌス帝が中国から輸入した産物で、その製法を学び、ビザンツ帝国でも生産するようになったものは何でしょう？

Q027 ユスティニアヌス帝とたびたび戦ったササン朝ペルシアの王は誰でしょう？

答え➡

A025 ゴシック様式

A026 絹織物

A027 ホスロー1世

 解説

　476年、ゲルマン人の傭兵隊長オドアケルがローマを占領し、帝位は廃位され、西ローマ帝国は滅亡する。一方、ビザンツ帝国（東ローマ帝国）はユスティニアヌス帝のもと、534年にヴァンダル王国、555年に東ゴート王国というゲルマン系の王朝を滅ぼし、さらにはイベリア半島の西ゴート王国に侵入してアフリカ北部・イタリア半島・イベリア半島南部という地中海域の領土回復を実現した。ユスティニアヌス帝はローマ法の集大成である『ローマ法大全』をトリボニアヌスらに編纂させたほか、ササン朝を経由しないインド洋〜紅海ルートの貿易を活性化、中国から入手した養蚕技術による絹織物の生産も開始した。また、ビザンツ様式のセント＝ソフィア聖堂（アヤソフィア）を首都コンスタンティノープルに建設してもいる。ユスティニアヌス帝の時代、ビザンツ帝国の東方にあったササン朝ペルシアはホスロー1世に率いられ、全盛期を迎えた。たびたび侵入されていた中央アジアの遊牧民国家エフタルを突厥との同盟によって滅ぼし、抗争を繰り返したビザンツ帝国とも平和条約を締結。文化面でも、ゾロアスター教の聖典『アヴェスター』の編纂やマニ教の創始があったほか、シルクロードを通じてその美術作品が日本に伝播、法隆寺の獅子狩文錦などに影響を残している。

KEY WORD

聖像崇拝禁止令

Q028 「形象」を意味するギリシア語に由来する、聖像・聖画像を表す語をカタカナ3文字で何というでしょう?

Q029 2019年に認められた、もっとも新しい独立正教会は次のうちのどの国でしょう?
① セルビア
② ウクライナ
③ ブルガリア

Q030 ギリシア正教会の宣教師・キュリロスにその名をちなみ、現在ロシア語などの表記に使われている文字とは何でしょう?

答え →

A028 イコン

A029 ②ウクライナ

A030 キリル文字

解説

　8世紀初頭のヨーロッパは、ビザンツ帝国では皇帝がコンスタンティノープル総主教の任命権を持つなど専制的な統治を行う一方、西ヨーロッパでは依然、世俗権力（国王など）と教皇権（ローマ法王）が異なる二元構造を成しており、東西分裂が見られていたが、726年にビザンツ皇帝レオン3世がイスラーム勢力の拡大に対抗するため、聖像崇拝禁止令を発布すると、聖像を用いてゲルマン系諸侯への布教を推進していたローマ＝カトリック教会は大いに反発。1054年にはローマ教皇レオ9世の代理人フンベルトゥスとコンスタンティノープル総大司教が破門し合ったことを契機に、900年以上続く東西教会の対立につながる。その後、コンスタンティノープルを総本山とする東方教会は東ヨーロッパのスラブ人らに向けて活発に布教され、ギリシア正教と呼ばれるようになる。ビザンツ帝国によるブルガリア王国の併合を経て、10世紀にはキエフ公国のウラディミル1世が皇帝の妹と結婚してギリシア正教に改宗、これを国教とした。ギリシア文字を基に生まれたキリル文字もブルガリア、キエフへと普及した。

KEY WORD

カール大帝

Q031 732年、イベリア半島に侵入したイスラーム勢力とカール＝マルテル率いるフランク王国との間で起きた戦いを何というでしょう？

Q032 イスラーム勢力の地中海沿岸侵入によって中世西ヨーロッパ社会が形成されたことを意味する、「マホメットなくしてシャルルマーニュなし」という言葉を提唱したベルギーの歴史学者は誰でしょう？

Q033 11世紀末にフランスで完成し、カール大帝がスペイン遠征した際の様子を詠った騎士道物語とは何でしょう？

答え →

A031 トゥール＝ポワティエ間の戦い

A032 アンリ＝ピレンヌ

A033 ローランの歌

 解説

　ゲルマン諸民族の大移動のなかでフランク人は現在のフランス周辺に移住し、481年にはクローヴィスによってフランク王国メロヴィング朝が建国される。ほかのゲルマン系王国がアリウス派に改宗するなか、クローヴィスは正統のアタナシウス派に改宗し、カトリック教会の支持を得た。732年、フランク王国の宮宰カール＝マルテルは、イスラーム教ウマイヤ朝をトゥール＝ポワティエ間の戦いで撃退。カール＝マルテルの子、ピピン（小ピピン）はカロリング朝を創始すると北イタリアのランゴバルド王国に遠征し、奪取したラヴェンナ地方をローマ教皇へ譲渡（ピピンの寄進）、これが最初のローマ教皇領となった。ピピンの子であるカール大帝は、ランゴバルド王国征服、東方から侵入したアヴァール人を撃退など、西ヨーロッパを掌握し、ローマ教皇レオ3世からローマ皇帝としての戴冠を受けた（カールの戴冠）。また、イギリスの神学者アルクィンといった優秀な学者をフランク王国に集め、古典の学問や文芸を復興させた（カロリング＝ルネサンス）が、カール大帝の死後、フランク王国領は843年のヴェルダン条約、870年のメルセン条約によって分割される。のちにドイツを成す東フランクでは、オットー1世がレヒフェルトの戦いでマジャール人を撃退したことで教皇ヨハネス12世からローマ皇帝の戴冠を受け、神聖ローマ帝国が誕生する。また、フランスの原型である西フランクでは、ユーグ＝カペーがカペー朝を創始、フランス王国の始まりとされる。

KEY WORD

聖職叙任権闘争

Q034 10世紀以降、修道院改革運動を推し進めた、フランス中東部のベネディクト派の修道院はどこでしょう？

Q035 1077年に神聖ローマ皇帝ハインリヒ4世が破門の取り消しを求め、グレゴリウス7世に許しを請うた事件のことを何というでしょう？

Q036 1095年にウルバヌス2世が開催し、「聖職叙任権の否定」や「十字軍派遣」を提唱した会議は何でしょう？

答え→

A034 クリュニー修道院

A035 カノッサの屈辱

A036 クレルモン宗教会議

 解説

中世ヨーロッパのキリスト教会において、聖職者を任命する聖職叙任権は皇帝や国王、領主たちが有していたが、その権限を巡って、ローマ教皇と神聖ローマ皇帝の間に起こったのが叙任権闘争である。当時、聖職者の地位が売買されたり、聖職者の結婚が金銭によって認められたり、教会の腐敗が進んでいた。だが11世紀になると、教皇以外の権力からの影響を排したクリュニー修道院が修道院改革運動を行う。1075年にはローマ教皇グレゴリウス7世が神聖ローマ皇帝ハインリヒ4世に対し、皇帝の聖職叙任権を否定する勅書を送りつけた。ハ

インリヒ4世は反発し、グレゴリウス7世の廃位を迫るが、逆に破門通告を受けてしまう。皇帝としての地位維持のため、グレゴリウス7世は1077年、教皇が滞在するカノッサ城を訪ねて雪の中で3日間に渡って許しを請願し、教皇から破門を解除してもらう。これがきっかけに、教皇が皇帝より強い影響力を持つことが周知された。

▶カノッサの屈辱

032

KEY WORD

大憲章（マグナ＝カルタ）

Q037 1215年に諸侯の圧力に屈し、マグナ＝カルタを認めさせられたことから「欠地王」と呼ばれたイギリス王は誰でしょう？

Q038 マグナ＝カルタによって再確認された、当時の諸侯や聖職者に与えられた特権のことを何的特権と呼ぶでしょう？

Q039 インノケンティウス3世が言ったとされる、教皇権を誇示する言葉とはどのようなものだったでしょう？

答え →

A037 ジョン王

A038 封建的特権

A039 教皇は太陽、皇帝は月

解説

　1154年、フランス王の封臣で、ヨーロッパ大陸にも広大な所領を持つアンジュー伯ヘンリ2世が、イギリスでプランタジネット朝を興した。しかし、五男ジョンがイギリス王となると、フランス王フィリップ2世との戦いに敗れてロアール川以北の大陸領を失う。その際の戦費を貴族諸侯などに負担させようとしたため、諸侯は大憲章（マグナ＝カルタ）を王に提出し、貴族の封建的特権を再確認させた。マグナ＝カルタの内容自体はあくまで既存の権利の再確認であるが、王も法に従わねばならないと定めた文章として、17世紀にはイングランド憲法上の最重要文章であると認められた。また、マグナ＝カルタが提出された13世紀初頭は、ジョン王のほか、神聖ローマ皇帝オットー4世やフランスのフィリップ2世が教皇インノケンティウス3世に破門されるなど、教皇の権力が頂点に達していた。

▶インノケンティウス3世

KEY WORD

グーテンベルク

Q040 グーテンベルクの発明した活版印刷技術とともに「ルネサンスの三大発明」と呼ばれたものは何でしょう？

Q041 活版印刷に用いられた印刷機は、あるお酒を造る際に用いられた機械を転用していたものでしたが、あるお酒とは何でしょう？

Q042 世界で最初に金属活字を実用化させた国はどこでしょう？

答え→

A040 羅針盤と火薬

A041 ワイン

A042 高麗（こうらい）

解説

　ヨーロッパ史の大転換に欠かせなかった「ルネサンスの三大発明」が、軍事革命につながった火薬、大航海時代を支えた羅針盤、情報伝達技術を飛躍的に向上させた活版印刷技術である。活版印刷の発明者であるグーテンベルクは、ワインの醸造時に使用する圧搾機を転用して印刷機を発明した。また、彼は金属活字の規格統一もなしたことで活版印刷技術は大きく向上、聖書などの宗教的出版物が多く刊行されることになった。また、105年頃に蔡倫（さいりん）によって改良された製紙法が12世紀にヨーロッパへ伝播し、15〜16世紀には製紙工場がヨーロッパ各地で設立されていたことも出版文化発展の基盤となった。当時のヨーロッパには、3世紀頃に中国で生まれた方位磁針「指南魚（しなんぎょ）」と、13世紀に高麗（こうらい）（朝鮮）で誕生した金属活字も伝わっており、このことからユーラシア大陸全体での人々の交流の様子がうかがえる。

▶16世紀頃の印刷所

KEY WORD

レコンキスタ

Q043 アラビア語で「赤い城」を意味する単語がその名の由来である、スペインのグラナダにあるイスラーム建築の宮殿は何でしょう?

Q044 レコンキスタによってイベリア半島最後のイスラーム国家となった王朝は何でしょう?

Q045 レコンキスタが完了した年で、コロンブスが航海でアメリカ大陸に到達したのは何年でしょう?

答え →

A043 アルハンブラ宮殿

A044 ナスル朝

A045 1492年

解説

　レコンキスタ(国土回復運動)とは、イベリア半島においてキリスト教勢力が展開した、イスラーム勢力の駆逐運動のことである。711年、ウマイヤ朝の侵攻により西ゴート王国が滅亡すると、イベリア半島はたびたび王朝が変わりながらもイスラーム勢力がイベリア半島を統治し続けていた。だが、キリスト教勢力では、15世紀後半にアラゴン王国の王子とカスティリャ王国の王女が婚姻、これによって成立したスペイン王国がナスル朝グラナダ王国の都グラナダへの侵攻を開始、1492年にはこれを陥落させる。ここにおいてレコンキスタは完了した。同年、スペイン王の命を受けたコロンブスが大西洋横断に成功しており、大航海時代の展開とともにスペインが国土を拡大させていくことになる。

▲アルハンブラ宮殿

KEY WORD

エンコミエンダ制

Q046　奴隷状態にあるインディオの保護を著書『インディアスの破壊についての簡潔な報告』でスペイン王室に進言した宣教師は誰でしょう?

Q047　アメリカ大陸に連れてこられた黒人奴隷と白人の混血に対して用いられた呼称は何でしょう?

Q048　アメリカ大陸に到達したコロンブスがピンタ号・ニーニャ号とともに率いていた旗艦船の名は何でしょう?

答え➡

A046 ラス＝カサス

A047 ムラート

A048 サンタマリア号

 解説

　大航海時代の開幕を先導したのは、重商主義に基づいて植民地拡大の政策方針をとったポルトガルとスペインであった。イスラーム勢力が衰退すると北アフリカ大陸に進出を開始し、ついで大西洋を渡りはじめる。1492年にはコロンブスが「新大陸を発見」（コロンブス自身は上陸した地をアジアと信じ、またすでに先住民に統治されていた）し、以降、スペインによるラテンアメリカの植民地化が進む。スペイン国王は1503年、先住民のキリスト教改宗と保護を条件に、スペイン人入植者に先住民の統治権を与える勅令、エンコミエンダ制を発布した。これは先住民に納税と労役義務を課したものだったが、実態は奴隷制度とほぼ変わらず、入植者（エンコメンデーロ）たちに酷使された先住民は人口が激減していった結果、現地では労働力不足に陥ってしまい、新たにスペインはアフリカから黒人奴隷を連行して労働力とした。結果、ラテンアメリカではクリオーリョ、メスティーソ、サンボ、ムラートといった多人種社会が形成されていくことになる。先住民らの不当な扱いに関しては、ラス＝カサスらドミニコ派の宣教師が告発、先住民の保護を試みるが入植者らの反発により制度の即時廃止には至らなかった。植民地での生産効率の低下に伴ってエンコミエンダ制が衰退すると、債務奴隷を労働力とする農園経営のアシエンダ制が成立、普及していく。

KEY WORD

ルター

Q049 エラスムスが生涯の友情を結んだトマス＝モアの家で執筆した、彼の代表作は何でしょう？

Q050 カトリック教会によって発行された信者の罪を赦す証書で、教会の収入源となっていたものは何でしょう？

Q051 プラハ大学学長を務め、チェコ語訳の聖書を完成させたものの、聖職者の堕落を批判したことで火刑に処された人物は誰でしょう？

答え→

A049 愚神礼賛

A050 贖宥状（免罪符）
（しょくゆうじょう）

A051 フス

解説

　14世紀末から15世紀初頭にかけてウィクリフやフスが教会や教皇のあり方を批判する（両者はコンスタンツ公会議で異端であると断罪される）と、1517年にはマルティン＝ルターが、購入者は死後天国に行くことが約束されるという贖宥状（免罪符）を発行（目的はサンピエトロ大聖堂の修復費用を稼ぐため）したローマ教皇レオ10世の行為に対して、『九十五カ条の論題』の中で警鐘を鳴らした。これが宗教改革の始まりとなる。その後ルターは、ヴォルムス帝国議会で教義撤回を求められるも「信仰によってのみ義とされる」という自身の主張を崩さなかったため、神聖ローマ皇帝カール5世に追放されてしまう。
だが、ルターはザクセン選帝侯フリードリヒ3世に保護され、新約聖書のドイツ語訳を完成させる。このドイツ語訳聖書は当時開発された活版印刷の技術によって広く普及し、民衆の間に正しい聖書の教えが広まることとなり、宗教改革の動きが加速していった。

▶『ルターの九十五カ条の論題』
パウウェルス・フェルディナンド

KEY WORD

コンキスタドール

Q052 首都テノチティトランを占領してアステカ
王国を滅ぼし、メキシコ総督となった人物
は誰でしょう?

Q053 アタワルパ皇帝を捕らえて殺害し、インカ
帝国を滅ぼしたのは誰でしょう?

Q054 1543年にパナマ地峡を横断して太平洋を発
見したのは誰でしょう?

答え →

A052 コルテス

A053 ピサロ

A054 バルボア

 解説

　大航海時代において、スペイン人たちは新大陸である南北アメリカ大陸に上陸し、特にラテンアメリカで先住民のインディオたちを征服、植民地の経営を行ったが、それらのスペイン人のことをコンキスタドール（征服者）と呼ぶ。代表的な人物としては、アステカ王国を滅ぼしたコルテスとインカ帝国を滅ぼしたピサロがよく知られている。コンキスタドールは、キリスト教の布教も目的としており、宣教師を同行させていたものの、金銀財宝こそが主な目的であった。スペイン国王が許可した「エンコミエンダ制」という実質的な奴隷制度の下、残虐な統治によって先住民たちは激減していく。その後、植民地経営は「アシエンダ制」に移行していった。スペインの探検家バルボアは発見した当時、太平洋を「南の海」と命名。「太平洋」は1520年に到達したマゼランが命名した。

▶ピサロ

KEY WORD

三圃制
（さん　ぽ）

Q055　中世ヨーロッパの荘園制で、国王が領主に対して与えた権利のことを何というでしょう？

Q056　三圃制の導入と並んで、中世の西ヨーロッパの農業生産を大幅に拡大させる要因となった、牛に引かせた鉄製工具のことを何というでしょう？

Q057　三圃制の導入による農業生産力向上および人口増加の影響で、12世紀にドイツ人がエルベ川以東に進出したことを何というでしょう？

答え➡

A055 不輪不入権（インムニテート）

A056 重量有輪犂
<small>じゅうりょうゆうりんすき</small>

A057 東方植民

 解説

　中世ヨーロッパでは西暦1000年頃からの温暖化を背景に「中世農業革命」と呼ばれる農業生産効率の大幅な向上が起こり、三圃制（耕地を春耕地・秋耕地・休耕地の三つに分割し、3年周期で交代していく農法）と呼ばれる農法と、重量有輪犂と呼ばれる工具が普及した。三圃制は、毎年同じ場所に同じ作物を栽培すること（＝連作）によって土中の栄養分が不足したり、特定の病原菌の密度が高くなったりする連作障害を防ぐために考え出され、休耕地でも家畜の排泄物による生産性の回復を見込んで放牧が行われた。時代を経ると、クローバーを植えることで根粒菌による窒素固定を組み込んだノーフォーク農法に移行するが、これによって農作物の収穫量が大幅に増え、ヨーロッパでは急激な人口増加がみられるようになった。すると12世紀以降、ドイツ騎士団が中心となってエルベ川以東に進出を開始する。これが東方植民である。また、イベリア半島でも、イスラーム勢力から土地を奪還して自分たちの領地を広げようという国土回復運動（レコンキスタ）の展開につながっていく。

KEY WORD

十字軍

Q058 1095年のクレルモン宗教会議で十字軍の遠征を提唱した教皇は誰でしょう?

Q059 帝国領土を拡大した勇猛な王だったものの第3回十字軍の遠征途中に水死した、神聖ローマ帝国の皇帝は誰でしょう?

Q060 第4回十字軍の勢力がコンスタンティノープルを占領して建てた国家は何でしょう?

答え →

A058 ウルバヌス2世

A059 フリードリヒ1世

A060 ラテン帝国

解説

11世紀に成立したイスラーム国家のセルジューク朝は、1071年のマラズギルトの戦いでビザンツ帝国を破りイェルサレムを占領した。これを受けてビザンツ皇帝が兵力の派遣を西欧世界に要請したことが十字軍遠征の始まりとなった。そのため、十字軍遠征は当初、聖地イェルサレムを含む領土をイスラーム勢力から回復するという宗教的性格が強かった。第1回遠征は聖地の奪還とイェルサレム王国の建国に成功したものの、続く第2回、アイユーブ朝によるイェルサレム王国征服を機に派遣され、神聖ローマ皇帝・フランス王・イングランド王が参加した第3回では失敗に終わった。第4回以降の遠征は海路を取って行われ、第4回ではコンスタンティノープルを占領してラテン帝国が建国されたが、その後の遠征は全て失敗に終わり、13世紀末にアッコンが陥落したことで十字軍は終わりを告げた。これにより教皇の威信は失墜し、代わりに王権が強まることとなったため、従来の封建制の崩壊や絶対王政への礎となったとも言える。宗教面以外の意義としては人や情報の交流が活発化したことが挙げられ、地中海が遠征路となったことから特に北イタリア諸都市による東方貿易は盛んになった。加えて、イスラーム文化や古典古代の文化が西欧世界に流入したことで、12世紀ルネサンスと称される文化の発展が見られた。

KEY WORD

自由都市

Q061 農奴が領主の元から都市へと逃れたあと、一定期間を経過すると自由の身となれる、という法を表した中世ドイツのことわざとは何でしょう？

Q062 パリの東に位置し、中世には大定期市が開催されていた、特産品であるシャンパンの名前の由来になっている地方はどこでしょう？

Q063 現在ではRPGやファンタジー作品で冒険者やプレイヤーの集団を表すことが多く、中世ヨーロッパでは商工業者による同業者組合のことを指した名称は何でしょう？

答え→

A061 都市の空気は自由にする

A062 シャンパーニュ地方

A063 ギルド

解説

　中世ヨーロッパでは、三圃制の普及にともなって余剰の生産物が生じ、また十字軍の遠征によって北海・バルト海貿易と東方貿易（レヴァント貿易）という2ルートでの遠隔地貿易が発展し、都市や定期市が発達していった。北イタリアが拠点となった北海・バルト海貿易では主に日用品が取引され、南イタリアと地中海東岸のムスリム商人の間で行われた東方貿易では東方の香辛料といった贅沢品が取引された。内陸でも、シャンパーニュ地方では大定期市が開かれ、フランドル地方の毛織物が東方に輸出されるなど、ヨーロッパにおける物流が大きくなっていった。発達した都市は、国王や皇帝から特許状を得て自治を有し、自治都市を形成していった。東方貿易の中心となったイタリアでは行政権を有したコムーネと呼ばれる自治都市が誕生、神聖ローマ皇帝に対抗するためのロンバルディア同盟を都市間で結ぶ一方、ドイツでは皇帝直轄となることで自治を得た自由都市（帝国都市）が生まれ、ドイツの帝国都市リューベックはハンザ同盟の盟主となり、同盟内ではさらに貿易が盛んに行われていく。自治都市の担い手は大商人が結成した商人ギルドであった。その力に対抗して手工業者もツンフトと呼ばれる手工業者ギルドを結成、ツンフト闘争を通して職人たちが参政権を獲得した。ただし、ギルドでは相互扶助や技術の保持などを目的に自由競争が禁止されており、技術発展が阻害される側面もあった。貨幣経済の発達により両替商が台頭し始めたのもこの時期で、銀が産出されたアウクスブルクではフッガー家が、トスカナ地方の中心地フィレンツェではメディチ家が繁栄を極め、後者の存在はルネサンスへとつながっていった。

KEY WORD

百年戦争

Q064 オーギュスト゠ロダンの彫刻のタイトルに
もその名が冠せられている、フランス北部
沿岸の都市はどこでしょう？

Q065 英仏間で起きた百年戦争、実際には100年
よりも長かった？　短かった？

Q066 百年戦争で活躍したフランスの女性ジャン
ヌ゠ダルクは、彼女が解放した都市の名前
から「何の乙女」と呼ばれているでしょう？

答え→

A064 カレー

A065 長かった

A066 オルレアンの乙女

 解説

　フランスのカペー朝が断絶するとフィリップ6世がヴァロワ朝を創始するが、イギリス王エドワード3世はフランス王位の継承権を主張、1339年に勃発した百年戦争は1453年まで続いた。その背景には王位継承権だけではなく、イギリスの羊毛を輸入して毛織物を輸出していたフランドル地方の存在が大きく、この地を含めたヨーロッパ内での領地獲得が互いの目的でもあった。戦況は当初、長弓を強みとしたイギリス側が優勢であったが、ジャンヌ＝ダルクがフランス軍を率いると戦況はフランス側有利に進み、最終的にカレー以外の大陸側の土地はすべてフランス領となり、今のイギリスとフランスの国境の元となった。だが、両国とも14世紀半ばにペストが大流行し、フランスではジャックリーの乱（1358年）、イギリスでは1381年の農民一揆を発端としたワット＝タイラーの乱という反乱が農民によって起こされる。結果、フランスでは諸侯や騎士が没落し、ヴァロワ朝の国王による中央集権化が進んだ。イギリスでは百年戦争後、王位をめぐってヨーク家とランカスター家によるバラ戦争が起きるが、ランカスター家のヘンリ7世がヨーク家のエリザベスと婚姻関係を結ぶことでテューダー朝を開き、決着した。

◆ローマ皇帝（ユリウス=クラウディウス朝～テオドシウス朝）◆

王朝・時代名	皇帝名	王朝・時代名	皇帝名
ユリウス=クラウディウス朝	アウグストゥス	軍人皇帝時代（六皇帝の年）	クラウディウス=ゴティクス
	ティベリウス		クィンティッルス
	カリグラ		アウレリアヌス
	クラウディウス		タキトゥス
	ネロ		フロリアヌス
四皇帝の年	ガルバ		プロブス
	オト		カルス
	ウィテッリウス		カリヌス
フラウィウス朝	ウェスパシアヌス		ヌメリアヌス
	ティトゥス	テトラルキア時代	ディオクレティアヌス
	ドミティアヌス		マクシミアヌス
五賢帝（ネルウァ=アントニヌス朝）	ネルウァ		ガレリウス
	トラヤヌス		コンスタンティウス=クロルス
	ハドリアヌス		フラウィウス=ウァレリウス=セウェルス
	アントニヌス=ピウス		マクセンティウス
	マルクス=アウレリウス		リキニウスとマルティニアヌス、ウァレリウス=ウァレンス
	ルキウス=ウェルス		
	コンモドゥス		マクシミヌス=ダイア
五皇帝の年	ペルティナクス	コンスタンティヌス朝	コンスタンティヌス1世 "大帝"
	ディディウス=ユリアヌス		コンスタンティヌス2世
セウェルス朝	セプティミウス=セウェルス		コンスタンティウス2世
	カラカラ		コンスタンス1世
	ゲタ		ウェトラニオ
	マクリヌスとディアドゥメニアヌス		ユリアヌス
	ヘリオガバルス		ヨウィアヌス
	アレクサンデル=セウェルス	ウァレンティニアヌス朝	ウァレンティニアヌス1世
軍人皇帝時代（六皇帝の年）	マクシミヌス=トラクス		ウァレンス
	ゴルディアヌス1世		グラティアヌス
	ゴルディアヌス2世		ウァレンティニアヌス2世
	プピエヌス	テオドシウス朝	テオドシウス1世 "大帝"
	バルビヌス		アルカディウス（東）
	ゴルディアヌス3世		ホノリウス（西）
	ピリップス=アラブスとピリップス2世		コンスタンティウス3世（西）
	デキウスとエトルスクス=デキウス		テオドシウス2世（東）
	ホスティリアヌス		ヨハンネス（西）
	トレボニアヌス=ガッルスとウォルシアヌス		ウァレンティニアヌス3世（西）
	アエミリアヌス		マルキアヌス（東）
	ウァレリアヌス		
	ガッリエヌスとサロニヌス		

※（東）：ビザンツ帝国（東ローマ帝国）皇帝
（西）：西ローマ帝国皇帝

世界史のノート術&勉強術

文科三類2年　郷治太乙

　世界史の受験勉強の際には「タテとヨコの歴史」を意識することが重要だと思っています。「タテの歴史」は日本史やドイツ史に代表されるような一地域の歴史について時系列を追って把握する考え方で、「ヨコの歴史」は「○世紀の世界」といったように、同時代にどんな王朝や集団がいて、どのような関わり合いをしていたのかを把握する見方です。学校の授業では、どうしても1時間の中で地域や時代が絞られた内容（例：共和制ローマ）しか扱えない上、事項の羅列になりがちですが、ノートでは1ページの中で出来事の原因や背景、与えた影響をしっかり記しておくことが重要だと思います。

　また、少しでも頭の中が整理できるように人物ごとに政策や治世で起きた出来事をまとめたり、順番に一地域の王朝を追っていき王朝ごとにだいたいの成立年、滅亡年、首都などをまとめたりすると良いと思います。このようにすれば「タテの歴史」はだいたい把握できるようになります。

　「ヨコの歴史」は同時代ごとに地図を書くなどしてまとめるのがお勧めです。また世界史の前提として厳密でなくても良いので「ポーランドの西にドイツ、その西にフランス、その南にスペイン、その西がポルトガル」くらいの世界地理は知っておいた方が理解も早いですし、そういう意味でも選択科目で「世界史+地理」の組み合わせは有利です。

　ここまでノート術について書きましたが、板書はともかく、まとめノートを作る作業は時間と労力がかかりますよね？　そこで自分はすでにまとまっている資料集で勉強する方法をやっていました。資料集には大概「○○世紀の世界」などと題した地図のページがあり、うしろの方に年表がついているので、そこに重要事項を書き込んだり、因果関係などをメモしたりしていました。個人的には教科書を読むよりも視覚的にインプットできるので効率的であり、ぜひともやってみてほしい勉強法です。

第②章

二大文明を覆う
イスラーム世界

2章では、共に大河と肥沃な大地を礎に王朝が発展した、
世界最古と言われるメソポタミア文明や、
強力な宗教国家であったエジプト文明を出発点に、
地中海や紅海を挟んで貿易圏を広げていく
西アジア・北アフリカ周辺の歴史をたどる。
東大の大論述問題では2001年に「エジプトが文明の発祥以来、
いかなる歴史的展開をとげてきたか」、2011年に
「7〜13世紀にアラブ・イスラーム文化圏をめぐって生じた動き」
が問われている。

KEY WORD

シュメール人

Q067　メソポタミア地域を形成するティグリス川とユーフラテス川。その合流地点からペルシャ湾に注ぎ込む川は何でしょう？

Q068　日本語では「聖塔」と称される、メソポタミアの諸都市にシュメール人が建設した、煉瓦造りの高い基壇の上に神殿をたてた建造物のことを何というでしょう？

Q069　『旧約聖書』の物語「ノアの方舟」の原型となった「洪水神話」などが含まれる、古代メソポタミアの伝説的な王を主人公とする物語は何と呼ばれているでしょう？

答え➡

A067 シャットルアラブ川（アルヴァンド川）

A068 ジッグラト

A069 ギルガメシュ叙事詩

解説

　メソポタミア地域では、紀元前30世紀頃からシュメール人によって灌漑農業の運営を基盤として、ウル、ウルク、ラガシュなどの都市が形成されていく。都市の中心部には神殿やジッグラトが置かれ、祭事を司る神官が政治的権力を持つ神権政治が行われた。また、農業に必要な占星術、それに基づく太陰太陽暦、六十進法の考え方、車軸やろくろの技術が発達していった。さらに、絵文字を刻む印章が普及し、絵文字が発展して粘土板に刻みつける楔形文字が作られると多くの叙事詩も生まれた。紀元前24世紀頃になると、セム語系のアッカド人が進入し、サルゴン1世が率いるアッカド王国がメソポタミアを初めて統一する。その後、シュメール人のウル第3王朝を経て、紀元前19世紀に同じくセム語系のアムル人が古バビロニア王国（バビロン第1王朝）を建国した。セム語系のほかの民族には、のちにアッシリア王国を建てた民族や、地中海東岸のシドン・ティルスなどに都市国家を築いて地中海交易で発展しアルファベットの元となるフェニキア文字を作ったフェニキア人や、ダマスクスを中心に内陸貿易で活躍し、アラビア文字の元となったアラム文字を作ったアラム人などがいた。なお、メソポタミア、パレスチナ、ナイル川下流域を合わせて「肥沃な三日月地帯」と呼ばれることがある。

KEY WORD

ハンムラビ法典

Q070 ハンムラビ法典の第108条で、薄めて販売すると川に投げ込まれる刑に処す、という規定があった飲み物とは何でしょう？

Q071 成文化した講和条約が締結された戦争としては史上初となる、紀元前13世紀前半にヒッタイトとエジプトとの間に起きた戦いとは何でしょう？

Q072 アッシリアのアッシュル＝バニパル王に仕えて文字の霊について研究するナブ・アヘ・エリバ博士が主人公という、中島敦の短編小説は何でしょう？

答え➡

A070 ビール

A071 カデシュの戦い

A072 文字禍

 解説

　古バビロニア王国（バビロン第1王朝）の第6代王ハンムラビはメソポタミアを統一、「ハンムラビ法典」を制定した。慣習法を法典としてまとめたハンムラビ法典は、「目には目を、歯には歯を」の復讐法でも知られている。その古バビロニアは、ヒッタイト人がハットゥシャを首都としてアナトリアに王国を建てると、紀元前16世紀末にはムルシリ1世がバビロンを占領、滅亡させられてしまう。その後、メソポタミア南部をイラン方面から侵入したカッシート人が、メソポタミア北部はミタンニが支配するなど、メソポタミアは国家が分立する状態にあった。一方、歴史上初めて製鉄技術を持つヒッタイトだったが、紀元前12世紀初頭に民族系統不明の「海の民」の攻撃を受け、滅亡したとされている。紀元前7世紀前半になると、ミタンニに属していた小国のアッシリアが鉄製武器と戦車の使用により勢力を拡大、エジプトをも征服してオリエント全土の統一を果たす。このアッシリア帝国は、首都をニネヴェに遷都し、世界初の図書館を設立させたアッシュル＝バニパル王時代に最盛期を迎える。だが、服属民に強制移住や重税などの圧制を強いたために各地で反乱が起こり、紀元前612年にはニネヴェが陥落、滅亡する。結果、イラン高原のメディア、アナトリアのリディア、メソポタミアの新バビロニア王国、ナイル下流域のエジプトの4王国が分立した。このうちリディアは世界初の貨幣を鋳造した国として知られる。

KEY WORD

エジプトはナイルの賜物

Q073 英語で「紙」を意味する単語の語源となった、古代エジプトで文字を書く対象として使われたものは何でしょう？

Q074 エジプト新王国時代に、ミイラとともに納棺された冥界への案内書のことを何というでしょう？

Q075 アメンホテプ4世の息子で、その「黄金のマスク」が非常に有名な人物は誰でしょう？

答え→

A073 パピルス

A074 死者の書

A075 ツタンカーメン

 解説

　古代ギリシアの歴史家ヘロドトスが著書『歴史』の中で「エジプトはナイルの賜物」と称したように、エジプト文明はナイル川下流の肥沃なデルタ地帯から発展していった。紀元前50世紀頃に農耕文化が生まれ、紀元前40世紀頃になると多くの小国家（ノモス）が成立、紀元前30世紀にはエジプトを最初に統一した王国（第1王朝）が成立、首都としてメンフィスが築かれた。第4王朝に入るとクフ王、カフラー王、メンカウラー王によるギザの三大ピラミッドなど、歴代の王（ファラオ）はピラミッド建設を盛んに行い、第6王朝までは古王国時代と呼ばれる繁栄を見せたが、その後一時分裂を見せる。紀元前21世紀中頃に再び統一され、都をテーベに置いた中王国期が始まるが、紀元前17世紀末にエチオピア方面から異民族のヒクソスの侵入を受けると衰退、オリエントの民族大移動が展開される。紀元前16世紀に起こったエジプト新王国の、アメンホテプ4世はアメン神信仰の神官が権力を持つテーベからテル＝エル＝アマルナへと遷都、イクナートンを自称してアトン神を唯一神とするなどの宗教改革を行った。古代エジプト文明では占星術、太陽暦、パピルス紙の技術、ヒエログリフ（神聖文字）などの文字が発達したが、新王国時代は宗教改革の影響を受け、ネフェルティティ像やツタンカーメンの黄金のマスクといった革新的で写実的なアマルナ美術が栄えた。

KEY WORD

バビロン捕囚

Q076 バビロン捕囚を実行した、新バビロニアの王は誰でしょう？

Q077 紀元前10世紀にイスラエル王国が分裂してできた二つの国とは、サマリアを中心とした北のイスラエル王国とイェルサレムを中心とした南の何王国でしょう？

Q078 バビロン捕囚によって虐げられたイスラエルの人々の民族的な団結が高まって生まれたとされる、ヤハウェを唯一神とする宗教は何でしょう？

答え➡

A076 ネブカドネザル2世

A077 ユダ王国

A078 ユダヤ教

 解説

　バビロン捕囚で名高い新バビロニア王国の王、ネブカドネザル2世は、紀元前6世紀ごろに在位すると勢力を拡大し、シリアやパレスチナを攻略した際には現地のユダヤ人たちを捕らえて自国の都市バビロンに強制連行した。このバビロン捕囚はユダヤ人たちにとっては大きな民族的苦難であり、この経験により彼らの民族意識が高まった結果、民族宗教としてのユダヤ教が誕生した。バビロン捕囚は2度にわたって行われており、一般に「バビロン捕囚」と呼ばれるのは紀元前586年に行われた第2回の方である。第1回でネブカドネザル2世に降伏し、捕虜となったユダ王国の王エホヤキンは、当時18歳という若さだった。この際には破壊されなかったイェルサレムの神殿が第2回の際に破壊されたため、第2回バビロン捕囚のときに、首都イェルサレムが完全に破壊されてユダ王国が滅亡した、とみなされている。バビロン捕囚で連行されたユダヤ人たちは、紀元前538年に新バビロニア王国を攻略したアケメネス朝ペルシアのキュロス2世によって解放されるまで、バビロンに囚われていた。

KEY WORD

アショカ王

Q079 大浴場などの遺構や、印章や青銅器といった出土物のあった、シンド地方にあるインダス文明の遺跡は何でしょう?

Q080 「卒塔婆」の語源にもなっている、釈迦の遺骨・舎利を納めるために建立された塔のことを何というでしょう?

Q081 第3回はアショカ王によって行われた、仏教経典を編纂する事業を何というでしょう?

答え→

A079 モヘンジョ=ダロ

A080 ストゥーパ

A081 仏典結集

 解説

　四大文明の一つ、インダス文明は紀元前7000年から紀元前6000年頃にインダス川流域で始まった農耕文化を端緒とし、紀元前1500年頃まで存在していた。中流域のパンジャーブ地方のハラッパー、下流域のシンド地方のモヘンジョ=ダロが代表的な遺跡として知られている。紀元前1500年頃になるとインド=ヨーロッパ語族のアーリア人が、コーカサス地方からカイバル峠を越えてインダス川流域に侵入、先住民であったドラヴィダ人を南方に駆逐したのち、紀元前1000年頃にはガンジス川流域にまで移動し、多くの小国家が誕生していった。紀元前7世紀頃には十六大国が形成され、中でもガンジス川中流域のコーサラ国や下流域のマガダ国が特に栄えた。マガダ国ナンダ王朝がインドに侵攻してきたアレクサンドロス大王を退けたのち、紀元前317年にはチャンドラグプタ王が南部の一部を除くインドを統一し、首都をパータリプトラに置くマウリヤ朝を建国した。第3代の王アショカはインド南東部のカリンガを征服（カリンガ戦争）し、マウリヤ朝は全盛期を迎えるが、カリンガ戦争で多くの死者を出した反省からアショカ王は仏教を篤く信仰してダルマ（法）による支配を目指し、全国に石柱碑や磨崖碑を建立した。また、アショカ王は3回目となる仏典結集を行い、このときに上座部仏教の源流が成立、アショカ王の子マヒンダによってスリランカへと布教される。

KEY WORD

カニシカ王

Q082 正式名を『根本中頌』とする著書などで、大乗仏教の教学を確立した人物は誰でしょう？

Q083 カニシカ王が発展させた、クシャーナ朝時代の中心都市とはどこでしょう？

Q084 サータヴァーハナ朝の主要民族であるドラヴィダ系アーンドラ人が主に話した言語は何でしょう？

答え➡

A082 ナーガールジュナ(竜樹)

A083 プルシャプラ

A084 タミル語

解説

　マウリヤ朝マガダ国がインドを初めて統一するも、マウリヤ朝が滅亡するとインドは諸王朝乱立の時代が長く続く。イラン系民族であるクシャーン人は、大月氏の一族とみる説と大月氏の被支配者層民族とみる説があるが、1世紀半ばに北西インドへ侵攻、クシャーナ朝を興した。クシャーナ朝の最盛期を築いたカニシカ王は、首都をインダス川上流のプルシャプラ(現在のペシャワール)に置き、また、マウリヤ朝のアショカ王と同様に仏教による統治を重視して第4回仏典結集を行ったほか、竜樹(ナーガールジュナ)が体系化した大乗仏教も保護した。プルシャプラはペルシャ方面と中国を結ぶ東西交通の要衝であり、大乗仏教が東アジアへも広まると、ギリシア美術の影響を受けた写実的なガンダーラ美術が発展していく。一方、インド中南部のデカン高原周辺を支配していたサータヴァーハナ朝も、クシャーナ朝同様にインド洋を介したローマ帝国との海上交易で栄えていく。サータヴァーハナ朝はドラヴィダ系、特にアーンドラ人が多かったことからタミル語文化やバラモン教が発展したが、クシャーナ朝がササン朝の侵攻を受けて衰亡する頃と時を同じくして滅亡する。だが、インドの最南端部ではタミル人系のチョーラ朝が紀元前3世紀から紀元後13世紀まで存在し、最盛期を迎えた10世紀にはセイロン島やスマトラ島のシュリーヴィジャヤにまで遠征した。

KEY WORD

タラス河畔の戦い

Q085 タラス河畔の戦いの前年に成立した、カリフの地位が世襲制のイスラーム王朝は何でしょう?

Q086 唐軍の捕虜からイスラーム教徒に伝わった、当時の先進的な技術は何でしょう?

Q087 戦い当時の唐の皇帝・玄宗が晩年に寵愛した、世界三大美女の一人にも挙げられる人物は誰でしょう?

答え→

A085 アッバース朝

A086 製紙法

A087 楊貴妃

解説

　7世紀初頭に中国に成立した唐王朝は、領土を中央アジアに向けて拡大していったほか、第2代皇帝・太宗による貞観の治、第9代皇帝・玄宗による開元の治の成果もあり、武韋の禍による政権争奪を除けば長期にわたって政治的に安定していた。一方で、7世紀後半から西アジアを中心に覇権を握っていたウマイヤ朝は、アラブ至上主義に反発したイスラーム勢力によるクーデターで打倒され、750年、新たなカリフ世襲制の王朝であるアッバース朝が成立した。唐とアッバース朝はその後も拡大を続けようとし、ついに751年、西域の支配権を巡って、中央アジアのタラス河畔にて戦いが勃発した。この戦いにアッバース朝が勝利し、これにより唐の西域拡大が中止され、中央アジアにはイスラーム勢力の安定支配が確立した。さらに、この戦いは両者が文化面でも相互に影響を及ぼし合う結果となり、例えば唐軍の捕虜はイスラーム教徒に製紙法を伝えた。また、この前後から唐の玄宗の政治は悪化しており、特に楊貴妃を溺愛するあまり、その一族に実権を渡すようになった。これに反発した節度使以降の安禄山は、仲間の史思明と共に反乱を起こした（安史の乱）。これ以降、唐は衰退を始め、世界帝国としての影響力を失っていった。

KEY WORD

スレイマン1世

Q088　1529年と1683年の2度にわたって起こった、オスマン帝国が神聖ローマ帝国の拠点を軍事的に圧迫した出来事を何というでしょう？

Q089　1526年、スレイマン1世がキリスト勢力を撃破しハンガリーを支配下におくきっかけになった戦いは何でしょう？

Q090　イェニチェリとともにオスマン帝国の軍事力として活躍した、ティマールという土地を与えられたトルコ人戦士のことを何というでしょう？

答え→

A088 ウィーン包囲

A089 モハーチの戦い

A090 シパーヒー

 解説

　スレイマン1世はオスマン帝国最盛期のスルタンで、大きくオスマン帝国の領土を拡大したメフメト2世も征服できなかったベオグラードやロドス島を奪ってみせた。ほかにも、強い軍事力で領土を北アフリカや南イラクまで拡大してみせ、1529年にはウィーンを包囲してヨーロッパに大きな脅威を与えた(=第1回ウィーン包囲)。1538年にはプレヴェザの海戦でスペイン・ヴェネツィアの連合艦隊を撃破し、地中海の制海権を手に入れ、国内では法典を整備したことで帝国の行政制度を完成させたために立法者(カーヌーニー)と呼ばれた。また、彼が建築を命じたスレイマン=モスクは、トルコ=イスラーム文化を代表する建造物である。

オスマン帝国の最大領域 (16世紀)

KEY WORD

ティムール

Q091 1402年、トルコでティムールがオスマン帝国を破った戦いを何というでしょう？

Q092 ティムール朝の最初の都はサマルカンドですが、その後どこに遷都されたでしょう？

Q093 ティムール朝を滅ぼした遊牧民族のウズベク人は3ハン国を建国しましたが、その3ハン国とは、ブハラ、ヒヴァとあともう一つは何でしょう？

答え➡

A091 アンカラ（アンゴラ）の戦い

A092 ヘラート

A093 コーカンド（＝ハン国）

解説

　14世紀後半に首都をサマルカンドとして成立し、15世紀に最盛期を迎えたティムール朝。その建国者がアミール（指導者）・ティムールで、中央アジアからイラン・イラクに至る広大な地域を征服していく。1402年にはアンカラ（アンゴラ）の戦いでオスマン帝国を破り、帝国の第4代スルタン・バヤジット1世を捕虜としてみせる。また、モンゴル帝国の再興を目指して明へ遠征するが、その途中、オトラルで病死してしまう。ティムール朝はヘラートに遷都され、以降、イラン＝イスラーム文化の中心地として発展したが、15世紀末から16世紀初頭に遊牧民族のウズベク人に侵攻され、滅亡してしまう。

ティムール朝の最大領域（15世紀）

KEY WORD

イスファハーン

Q094 軍備やヨーロッパとの貿易の強化、中央集権化などを実施し、サファヴィー朝に最盛期をもたらした王は誰でしょう？

Q095 サファヴィー朝下で繁栄をきわめた都市イスファハーンをたたえた有名な言葉は何でしょう？

Q096 元々は「王のモスク」と呼ばれていた、イスファハーン中心部に位置する青色のモスクの名は何でしょう？

答え➡

A094 アッバース1世

A095 イスファハーンは世界の半分

A096 イマームのモスク

解説

　ティムールが衰退した15世紀、混乱のペルシアで台頭したのが神秘主義を掲げたサファビー教団だった。教団を率いるイスマーイールはシャー（王）を名乗り、トルコ系遊牧民族を主体とするキジルバシュの貢献を得ながら、イランで初めてシーア派を国教に、イスマーイール1世としてタブリーズを首都とするサファヴィー朝を建国する。セリム1世治世下のオスマン帝国との抗争に破れたサファヴィー朝は一時疲弊を見せるが、アッバース1世によって立て直され、新しく建設、遷都されたイスファハーンを首都に王朝は最盛期を迎える。アッバース1世は、オスマン帝国から一部の領土を奪還したほか、トルコ人勢力であったオスマン帝国への対抗という観点から同じくトルコ系のキジルバシュの勢力を抑え、代わりにアルメニア難民を受け入れて積極的に官僚として登用した。さらに、貿易を奨励して大きな富を築いたため、世界中から富や人が集まったイスファハーンは「世界の半分」と称されるほどの繁栄を見せた。だが、アッバース1世の死後、サファヴィー朝は次第に衰退し、18世紀にアフガン人によって滅ぼされる。

KEY WORD

ムスリム商人

Q097　アラビア海周辺の海上交易で利用されていた、三角形の帆を持つ木造船を何と呼ぶでしょう?

Q098　中央アジア・西アジアの街道や都市にできた隊商宿を何と呼ぶでしょう?

Q099　蛇腹式に伸縮する縦帆などの特徴を持つ、10世紀頃に中国で建造された大型木造帆船を何というでしょう?

答え→

A097 ダウ船

A098 キャラヴァンサライ

A099 ジャンク船

解説

　ムスリム商人は唐代に海上交易で来航したイスラーム教徒の商人で、8世紀になるとダウ船を利用した海上交易でアラビア海、インド洋、南シナ海、地中海などに、内陸ではラクダなどを利用した隊商交易で中央アジア、シベリア、東欧、北欧に進出していった。隊商交易において隊商宿として利用された「キャラヴァンサライ」は、人間だけでなくラクダや馬も宿泊することができ、都市部に造られたものはスーク（バザール）の中に位置することも多かったため、商業や交易のセンターも兼ねていたと言われている。中国では宋の時代に商人たちがジャンク船で外洋に出はじめ、12、13世紀になるとインド洋に到達、交易範囲を広げていった。

▲ジャンク船

KEY WORD

カーリミー商人

Q100 紅海貿易圏からキリスト教徒を締め出した
ことでカーリミー商人に大きな独占的利益
を与えた、アイユーブ朝の創始者といえば
誰でしょう?

Q101 カーリミー商人らによるインド洋交易の結
果として生まれたとされる、アラビア語と
アフリカ東海岸の言語が混じりあってでき
た言語を何というでしょう?

Q102 カーリミー商人が主に取引した商品のうち、
中国原産でアフリカや地中海方面に輸出さ
れたものは何でしょう?

答え→

A100 サラディン（サラーフ=アッディーン）

A101 スワヒリ語

A102 陶磁器

 解説

　カーリミー商人は、エジプトを拠点に紅海経由のインド洋貿易で活躍したムスリム商人の総称。サラディンに始まるアイユーブ朝歴代指導者の保護を受けて独占的交易権を獲得し、東南アジア産の香辛料や中国産の絹織物・陶磁器などを主な取引商品として、東方貿易で地中海のイタリア商人に高く売ることで大きな利益を出していた。しかし、マムルーク朝が独占貿易政策をとるようになると次第にその勢いを失った。カーリミー商人がインド洋を盛んに行き来する中で、タンザニアのキルワやケニアのマリンディなどのアフリカ東海岸都市が寄港先として発展、イスラーム教徒が用いるアラビア語と現地語が融合したスワヒリ語が誕生した。

▲サラディン（サラーフ=アッディーン）

KEY WORD

ナーランダー

Q103 ナーランダー僧院でも学び、インドから帰国後には『大唐西域記』を著した唐の僧といえば誰でしょう?

Q104 ナーランダー僧院があるのは、現在のインドの何州に位置するでしょう?

Q105 グプタ朝時代のナーランダー僧院の再現を目指して日本に建てられた現代版の僧院は何県にあるでしょう?

答え➜

A103 玄奘

A104 ビハール州

A105 兵庫県

解説

　ナーランダー僧院が建てられた5世紀のグプタ朝は文化面において、ギリシアの影響を受けたガンダーラ美術から脱却し、ヒンドゥー教とサンスクリット文学に支えられた純インド的な特色を持っていた。グプタ様式の文化ではアジャンター石窟寺院やエローラ石窟寺院の壁画や仏像が有名であるほか、数学の「ゼロ」の概念が生まれたのもこの時代であるとされている。このように仏教文化が花開いたインドには玄奘や義浄（げんじょう　ぎじょう）など中国の唐から多数の僧が訪れ、ヴァルダナ朝期のナーランダーで学んだ。学識が深く、僧院の中でも優等生であった玄奘は、西域を通り陸路でインドを訪れ、帰国後は仏典の漢訳につとめ、その旅の様子は弟子たちによって『大唐西域記』にまとめられている。その玄奘や法顕（ほっけん）に憧れた義浄は海路でインドに向かい、仏教を学んだあとは往路でも滞在したシュリーヴィジャヤ王国において『南海寄帰内法伝』を著したほか、シュリーヴィジャヤでは非常に大乗仏教が盛んであったことを中国に伝えた。インド文化の繁栄を象徴する学院であったナーランダーだが、1200年頃にインドへ侵入してきたイスラーム勢力によって破壊されてしまった。

KEY WORD

カリフ

Q1-06 ムハンマドの死後、彼の後継者として4代まで選出された、イスラーム共同体の最高指導者を指す言葉は何でしょう？

Q1-07 イスラーム教徒が異教徒に行う戦闘について称されることが多い、聖戦と訳される信仰行為とは何でしょう？

Q1-08 『千夜一夜物語』にも偉大なる王として登場する、アッバース朝の第5代カリフといえば誰でしょう？

答え➡

A106 正統カリフ

A107 ジハード

A108 ハールーン＝アッラシード

 解説

　イスラーム教は、唯一無二の神（アッラー）がムハンマドに対して与えた啓示をまとめたコーランを聖典とする宗教で、コーランで「最後の預言者」として定義づけられているムハンマドによって創始された。632年、アッラーの意思を正しく汲み取り、行動できるとされた指導者のムハンマドが没すると、イスラーム教徒たちは混乱をきたしたため、ムハンマドの代理人として選挙で選出されたのがカリフである。特に、ムハンマドの没後から661年のウマイヤ朝の成立までに誕生した4人のカリフを正統カリフという。正統カリフ時代では、642年のニハーヴァンドの戦いに代表されるようなジハードが積極的に展開され、領土を著しく拡大することとなった。4代目正統カリフだったアリーの暗殺に伴ってウマイヤ朝が興ると、以降は本来持つ意味を徐々に失い、称号として用いられたのち、それも消失した。

イスラーム帝国の拡大（6〜10世紀）

- □ ムハンマド時代の領域
- □ 正統カリフ時代に加えられた領域
- ■ アッバース朝の領域
- ■ 後ウマイヤ朝の領域
- ----- イスラーム帝国最大領域

ポワティエ　トゥール　コンスタンティノープル
グラナダ　フランク王国　　　　　　　唐
コルドバ　教皇領　タラス
カイラワン　ビザンツ帝国
ダマスクス　ニハーヴァンド
アレクサンドリア　イェルサレム　バグダード
メディナ
メッカ

◆カリフの系図◆

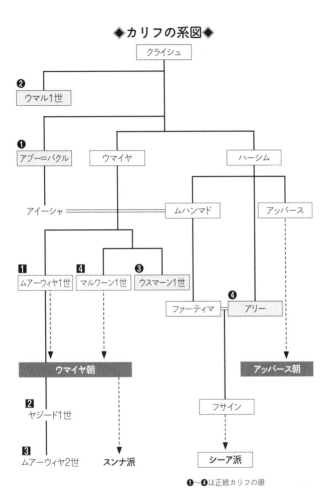

クライシュ

❷ ウマル1世

❶ アブー＝バクル

ウマイヤ

ハーシム

アイーシャ ══ ムハンマド

アッバース

❶ ムアーウィヤ1世

❹ マルワーン1世

❸ ウスマーン1世

ファーティマ ── ❹ アリー

ウマイヤ朝

アッバース朝

❷ ヤジード1世

フサイン

❸ ムアーウィヤ2世

スンナ派

シーア派

❶～❹は正統カリフの順
❶～❹はウマイヤ朝カリフの王位継承順

世界史の暗記法（一問一答の使い方）

文科一類2年 江口佳武

　世界史を覚えるにあたって、ただ教科書を読んだり書き写したりするだけのインプットでは限界がある、というのは言わずもがな。自分は受験生の頃、アウトプットのため、同じ東大を目指す友人たちと一問一答式の問題集を使って問題を出し合っていました。しかし、同じ一問一答の問題集を使い続けていると、だんだん問題と答えを覚えてしまいます。例えば、「後漢末に宦官らによって起こった、儒学者に対する弾圧事件を何というか」という問題では、何人かで繰り返し出し合っていると、「後漢末に宦官によって」あたりで答えの「党錮の禁」にたどり着いてしまいます。まあ問題を最後まで聞いてから答えればよいのですが、答えがわかれば早く言いたいのがクイズ研究会員の性。4人、5人と参加している人数が多ければなおさらです。

　そこで高3の夏休み頃に編み出したのが、一問一答の問読みを逆から読むという方法でした。例えば、先ほどの例でいうと、まず「①弾圧事件を何というか」、次に「②儒学者に対する」、さらに「③宦官らによって起こった」……というように、問題文のうしろからさかのぼるようにして読んでいきます。そして、そのように読んでいる途中で、いつものように最初に分かった人が回答するということです。これには大きな効果がありました。これまでは見落としていたような、例えば「儒学者に対する」といった細かい情報が、以前とは別の順番で読まれることによって強く意識されるようになったのです。実際にこの方式で一問一答をやるようになってから、世界史の知識の幅は一気に広がりました。ちなみに、この「逆から読んでみる」という方法は、普段のクイズの勉強でも活用できます。「何度も読み込みすぎて、自分が持っているクイズの問題集をすべて覚えてしまった」というのは早押しクイズをやっている人間にとっては永年の課題なのですが、ちょっと問題の順番を入れ替えてみるだけで再び同じ問題集を使うことができるというのは、ずいぶん便利なものです。

　みなさんも、いま手持ちの問題集を少し工夫して、いつもと違う角度から使ってみると良いのではないでしょうか。

第 **3** 章

漢民族を軸に 変化していく中国

3章は、文明発生後は小規模な邑（村落）の集合体としての
国家が形作られ、漢民族と北方民族が衝突しながら
中国大陸のみで国家を積み重ねる中国史。
2015年の東大二次試験世界史の大論述問題では
「日本列島からヨーロッパにいたる
広域において見られた交流の諸相について」
経済的・文化的に論じさせ、
2017年には「前2世紀以後のローマ」と共に
「春秋時代以後の黄河・長江流域」で成立した
古代帝国の社会変化が問われた。
差異を問うことの多い東大世界史だけに
中国史ならではの特徴を把握しておきたい。

KEY WORD

封建制（周）

Q109 中国最初の王朝といわれる夏を創始した伝説上の王といえば誰でしょう？

Q110 司馬遷が著した『史記』の一説に由来する、殷の紂王（ちゅうおう）が開いた大宴会の様子を表現した四字熟語は何でしょう？

Q111 周の文王が釣りをする呂尚（りょしょう）を評した言葉に由来し、日本では「釣り人」の代名詞として用いられる言葉といえば何でしょう？

答え➡

A109 禹（う）

A110 酒池肉林

A111 太公望

解説

　紀元前60世紀頃、黄河流域で文明が興ると、彩文土器が発達した仰韶（ぎょうしょう）文化（彩陶文化）、灰陶や黒陶が発達した竜山文化、禹が建国したという伝説が残る夏王朝を経て、紀元前16世紀には殷王朝が成立した。殷の実在は河南省安陽市の遺跡・殷墟により証明されており、各地の都市国家（邑（ゆう））を合わせた連合国家（邑制国家）であり、祭政一致の神権政治を行っていたとされる。一方、長江下流域でも紀元前50世紀頃から文明が興り、水稲耕作が行われていたことが河姆渡（かぼと）遺跡によって判明している。殷では青銅器や甲骨文字の文化が発展したが、紂王の暴政が原因で邑の一つだった周の武王に滅ぼされ、鎬京を都とする周王朝が華北全域を統一した。中国では、王朝の交代は天命によるもの（易姓革命）で、有徳な君主がほかの有徳者に統治権を譲る禅譲と、暴虐な君主が放逐されて有徳者に統治権が移る放伐、の2種があるとされたが、それは孟子が紂王を討った武王を称えたことから始まる。周王朝は卿・大夫・士といった家臣に邑を封土し、血縁集団（宗族）を規範（宗法）で結束させて統治する封建制を導入した。紀元前770年頃、周は西方の異民族の犬戎（けんじゅう）に鎬京（こうけい）を占領されて東の洛邑に遷都し、以後は東周と呼ばれる。だが、東周は統治力に欠け、各地の有力諸侯が分立する春秋時代に突入していった。

KEY WORD

枢軸時代

Q112 ニーチェの著書名やシュトラウスの作品名にも登場する「ツァラトゥストラ」とは誰のことでしょう？

Q113 「猿も木から落ちる」と同じ意味の英語のことわざで「○○も居眠りをする」と言われた人物とは誰でしょう？

Q114 『ラーマーヤナ』とともにインド二大叙事詩の一つで、『イリアス』『オデュッセイア』と並ぶ世界三大叙事詩の一つといえば何でしょう？

答え➡

A112 ゾロアスター

A113 ホメロス

A114 マハーバーラタ

 解説

　枢軸時代とは、ドイツの哲学者ヤスパースが提唱した概念。人類が神話から脱して人間としての自己の存在を意識する、という思想の目覚めが世界的に巻き起こった紀元前800年頃～紀元前200年頃（特に紀元前500年頃）を指す。中国では春秋時代に、孔子が創始した儒教（儒家）、老子や荘子の思想を信奉した道家、墨子が開いた墨家などの諸子百家が登場し、思想文化が開花した。インドでは紀元前7世紀頃、『ヴェーダ』を聖典とするバラモン教による形式主義や、ヴァルナ制による厳しい身分制度に対抗して内部革新が起こり、業（カルマ）に決定づけられた輪廻からの解脱を説くウパニシャッド哲学が流行した。紀元前6世紀になると、仏教の祖ガウタマ＝シッダールタ、ジャイナ教を創始したヴァルダマーナが現れる。前者は、八正道の実践による解脱を説いてバラモンの権威を否定することでクシャトリア階級から、後者は、徹底した不殺生と禁欲的修行による解脱を説くことでヴァイシャ階級からの支持を受けた。また、西アジアでは紀元前6世紀頃に、火を神聖視するゾロアスター教が成立している。同時期の古代ギリシアを見ると、ホメロスら詩人やアイスキュロス、ソフォクレス、エウリピデスの三大悲劇詩人などの多くの文学者が活躍したほか、タレスらにより万物の根源（アルケー）を考察する自然哲学が誕生し、科学の基礎が形作られている。

KEY WORD

諸子百家

Q115 孔子が『易経』を何度も読んだために本の綴じひもが何度も切れたという故事に由来する、熱心に本で学ぶことを表す四字熟語は何でしょう?

Q116 呉王の夫差は硬い薪の上で寝ることで、越王の勾践は苦い胆を舐め続けることで屈辱を忘れぬよう自分を戒めた故事から、目的を達成するために苦難に耐え忍ぶことを意味する四字熟語は何でしょう?

Q117 戦国時代に力を持った燕・趙・斉・魏・韓・秦・楚の国々をまとめて何というでしょう?

答え➡

A115 韋編三絶
<small>（いへんさんぜつ）</small>

A116 臥薪嘗胆
<small>（がしんしょうたん）</small>

A117 戦国の七雄

 解説

　東周が凋落して始まった春秋時代では斉、晋、楚、越、呉の5国が力を持ち、のちに晋が3ヶ国に分裂して戦国時代が始まる。春秋・戦国時代になって各国が富国強兵に取り組むようになると、王に政治や社会の理想を論じる思想家たちが各国に多く出現した。彼らをまとめて諸子百家という。孔子は仁と礼を基調とする儒学を創始し、孔子の生前の言行録は弟子によって『論語』にまとめられた。のちに現れた儒家には、性善説や易姓革命説を主張して徳による王道政治を説いた孟子、性悪説を主張して礼の実践を説いた戦国時代末期の荀子などがいる。荀子の思想は法治主義を重んじる法家にも影響を与えているが、その法家の代表としては戦国時代中期の商鞅、戦国時代末期の韓非がいた。ほかの諸子百家に、平等に人を愛する兼愛功利を主張し、儒家の仁や礼を差別愛として批判した墨子による墨家。無為自然を主張した、荘子や老子の道家などがある。晋が魏・韓・趙に分かれると春秋時代から、戦国の七雄が並び立つ戦国時代に突入したが、同時代は牛耕や鉄製農具の発達により農業生産力が大きく向上し、商工業も発展、各国で青銅貨幣が流通していく。

KEY WORD

始皇帝

Q118 秦の始皇帝の字名は何でしょう？

Q119 始皇帝の墓から出土した、副葬品の遺跡を何というでしょう？

Q120 月氏を破るなどしてモンゴル平原において匈奴の全盛期を築き、成立直後の前漢に遠征して撃破してみせた王は誰でしょう？

答え➡

A118 政

A119 兵馬俑
（へいばよう）

A120 冒頓単于
（ぼくとつぜんう）

解説

戦国の七雄の一つであった秦は商鞅（しょうおう）の法治主義を採用し、富国強兵のための変法を次々に実施し、強大化していった。それに対し、他国は蘇秦（そしん）が説いた6ヶ国で同盟を結ぶ合従策を採用して秦に対抗していた。だが、秦の宰相である張儀が6ヶ国それぞれに秦と同盟を結ぶという連衡策を働きかけ、同盟関係は瓦解、各国は次々に秦に滅ぼされていく。紀元前221年、秦王の政が最後の七雄である斉を滅ぼして中国を統一すると、自らを「始皇帝」と名乗った。秦は咸陽を都とし、全国を中央集権的に支配する郡県制を導入したほか、度量衡や貨幣を統一した。また、法家の李斯を登用し、儒教を皇帝独裁体制を揺るがす思想として徹底的に弾圧した（焚書坑儒（ふんしょこうじゅ））。一方で北方の匈奴の侵入に備えるため、戦国時代に建てられた各国の長城を結合、修築した（万里の長城）。しかし始皇帝の死後、こうした圧政に不満が高まり、陳勝（ちんしょう）・呉広（ごこう）の乱が起き、次いで項羽と劉邦が挙兵し、紀元前206年に秦は滅亡した。項羽との争いで勝利した劉邦は政権を掌握、漢（前漢）を建国して高祖となった。高祖は功臣に対して、郡とともに諸侯王として封土（国）を与える郡国制を採用したが、のちに諸侯王の反乱である呉楚七国（ごそしちこく）の乱が起きたことを契機に、郡県制を復活させた。

KEY WORD

武帝

Q121 大苑（フェルガナ）が産地の、1日に千里を疾走できるといわれる名馬とは何でしょう？

Q122 司馬遷の『史記』や班固の『漢書』でみられるような、王や臣下の伝記を連ねて歴史を叙述する形式を編年体に対して何と呼ぶでしょう？

Q123 後漢時代に製紙法を改良し、その紙を時の皇帝・和帝に献上した人物は誰でしょう？

答え →

A.121 汗血馬 (かんけつば)

A.122 紀伝体

A.123 蔡倫 (さいりん)

解説

　前漢最盛期の皇帝として知られる武帝は、外交政策では匈奴(きょうど)を挟撃するために張騫(ちょうけん)を大月氏国に派遣した。同盟を組むことはなかったが張騫の報告で汗血馬(かんけつば)の存在を知ると、大苑(フェルガナ)と国交を結び、のちに李広利を出征させて支配、汗血馬も獲得する。これによって匈奴を西域から駆逐すると敦煌郡など4郡を設置し、のちには西域都護を置いた。一方、朝鮮半島では衛氏朝鮮を征服して楽浪郡など4郡を、ベトナムでは南越を征服して南海郡や日南郡など9郡を設置した。内政では、董仲舒の献策で五経博士を設置して儒学を官学化したほか、官僚登用制度として地方の長官が地元の有能な人材を推薦した「郷挙里選(きょうきょりせん)」を実施、また、数々の経済改革も行った。だが、紀元後8年に皇帝の外戚の王莽(おうもう)が政権を掌握、国号を新として周代の政治の復古を目指すものの、18年に農民による赤眉の乱が勃発。その後、漢王室の血を引く劉秀が政権を奪還、光武帝として漢を再興した(後漢)。後漢の時代、西域都護だった班超(はんちょう)は西域を征討して50国余りを服属させたほか、部下の甘英をローマ帝国に派遣するなど、西方へ広く展開を見せるが、2世紀になると宦官が台頭、役人(党人)を粛清する党錮の禁を起こすなど皇帝を上回る権力を持ち、政局は不安定を見せる。184年には、困窮する農民から篤い信仰を得ていた太平道の創始者、張角が黄巾の乱を蜂起(とうこ)。以降、多くの反乱軍が組織され、中国は群雄割拠の時代に入った。

KEY WORD

塩・鉄・酒の専売制

Q124 漢で専売制の導入が一番遅かったのは、塩、鉄、酒のうちのどれでしょう？

Q125 塩の密売を取り締まったことから唐末期に起きた反乱を、その乱を指導した密売人の名をとって何と呼ぶでしょう？

Q126 宋代に長江下流域で起きた農業生産力の上昇と、その影響力の大きさを表した言葉は何でしょう？

答え→

A124 酒

A125 黄巣の乱

A126 蘇湖（江浙）熟すれば天下足る

解説

　漢の武帝は、相次ぐ外征による財政難を解消しようと、新通貨の五銖銭を鋳造して通貨の安定を、均輸法や平準法で流通と物価の安定を図った。また、国益を確保するため、紀元前119年には塩と鉄を、やや遅れて酒を専売としたが、酒の専売は商人の反発が大きくすぐに取り下げることになった。塩の専売制は唐代の761年にも行われたが、闇流通する塩に対する取り締まりを強化したところ、875年の黄巣の乱を誘発した。宋代では茶を専売制にすることで財源を確保したが、これは主に長江下流域で、形勢戸による囲田や于田の開発、旱害に強い占城稲の導入やそれに伴う二毛作の普及などによって農業生産力が向上、人口が増加した一般庶民にも茶が普及したという背景がある。また、宋代は貨幣経済が発達し、日本など海外にも銅銭が輸出されており、銅の専売、銅銭の管理も厳しく行った。

▶漢の武帝

KEY WORD

文選

Q127 昭明太子によって編纂された詩文集の名は何でしょう？

Q128 作品から「五柳先生」、後世では「田園詩人」とも呼ばれる文学者とは誰でしょう？

Q129 阮籍（げんせき）がその由来とされる、気に入らない人物を冷遇することを表す言葉は何でしょう？

答え➡

A127 文選

A128 陶淵明(陶潜)

A129 白眼視

 解説

　『文選』は昭明太子によって編纂され、100名以上の文学者による約800もの作品を収録した詩文集。文人の必読書とされ、日本の平安文学にも影響を与えた。代表的な作品としては、屈原「離騒」、陶淵明（陶潜）「帰去来辞」、阮籍「詠懐詩」などがある。屈原は、『楚辞』にもその詩が収められている、春秋戦国時代の高名な詩人。陶淵明は「桃花源記」でも有名で、酔うと弦の無い琴を心の中で奏でて楽しんだという逸話の「無弦の琴」でも知られている。阮籍は酒を飲んで清談を行った「竹林の七賢」の一人にして、その指導者でもある。

▲竹林の七賢

KEY WORD

景徳鎮

Q130 浙江(せっこう)の竜泉窯などが産地として有名な、青緑色を帯びた磁器は何でしょう?

Q131 顔料で描いた文様の上に釉薬を塗って焼き上げることを日本では染付と呼ぶのに対し、中国語では何というでしょう?

Q132 『茶の本(The Book of Tea)』を書いたのは誰でしょう?

答え➡

A130 青磁

A131 青花
せい か

A132 岡倉天心

解説

　景徳鎮は江西省北東部に位置し、宋〜清代においては、中国第一の生産量と優れた青花を生み出す陶磁器の産地であり、かつ茶の産地でもあった。景徳鎮の陶磁器は、宋代には特に青磁や白磁で、元・明・清代には特に染付で知られており、世界中の陶磁器にも大きな影響を与えた。日宋貿易でも、のちに『喫茶養生記』を著す栄西によって中国茶の文化がもたらされ、磁器も茶の湯の道具として取り入れられていった。

▲清代の景徳鎮

KEY WORD

ジャムチ

Q133 モンゴル帝国で整備された通信網の「ジャムチ」とは、モンゴル語で何という意味でしょう？

Q134 ジャムチにおいて、一定の距離ごとに置かれた宿泊・休憩施設を何というでしょう？

Q135 ジャムチについての詳細な記録も書かれている、マルコ＝ポーロによる有名な著作は何でしょう？

答え➔

A133 道(ジャム)と人(チ)

A134 駅

A135 東方見聞録

 解説

　ユーラシア大陸の東西を統一し、安定した政権を維持したモンゴル帝国では、内陸部・沿岸部共に安全な交通網が整備された。このうち特に内陸部で発達したのがジャムチと呼ばれる駅伝制である。通行者には牌符と呼ばれる通行手形が発行され、彼らは一定の距離ごとに設けられた宿駅で馬やラクダを休ませたり、食料を補給したり、宿泊をすることができた。駅においてこのようなサービスを提供した人たちは站戸と呼ばれる。ジャムチはオゴタイ＝ハンの治世に制度として整えられ、人々の交通網となっただけでなく東西文化交流の活発化を促した。例えば、西方からジャラリー暦が伝わったことは中国での授時暦の誕生につながったほか、イスラーム諸国では中国から伝わった文化をもとにミニアチュールと呼ばれる細密画が発達した。さらに、交易路では商人たちは通行税を免除された上、交鈔と呼ばれる紙幣が銅の補助通貨として発行されたことにより経済面でも大きく発展した。加えて、東西交流が進み人の往来が活発化したことから、プラノ＝カルピニなどの宣教師やマルコ＝ポーロなどの旅行家がヨーロッパから訪れた。ジャムチが発展していた様子は、マルコ＝ポーロの『東方見聞録』に描かれている。

KEY WORD

鄭和
（ていわ）

Q136 明を建国した洪武帝を父に持ち、積極的な海外遠征を行った人物は誰でしょう？

Q137 特に中国の宮廷で皇帝や後宮に仕えた人々が有名な、去勢された男性官吏のことを何というでしょう？

Q138 現地の言葉で「苦い果物」という意味がある、インドネシア最後のヒンドゥー教王国の名は何でしょう？

答え→

A136 永楽帝

A137 宦官

A138 マジャパヒト

 解説

　明の全盛期を築いた第3代皇帝である永楽帝は、宦官の一人である鄭和がムスリムであることと、彼の挙げた軍功に着目し、鄭和を明の国威を海外に示すための海外遠征の長に命じた。鄭和は、ジャンク船に3万人前後を乗船させ、1405年から1430年の間に7度の大航海を行うと、自身がムスリムであることを生かし、東南アジアや中東への外交や通商でも活躍した。この南海遠征の結果、明に服属を誓った国家は、マジャパヒト王国やマラッカ王国などを含め30ヵ国以上にも達し、それまで交流のなかった国々も朝貢するために明に訪れるようになった。

明の朝貢国

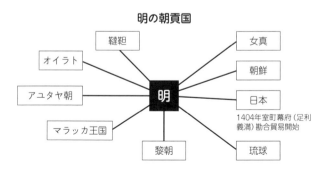

韃靼

オイラト

女真

朝鮮

アユタヤ朝

明

日本
1404年室町幕府（足利義満）勘合貿易開始

マラッカ王国

黎朝

琉球

KEY WORD

王安石

Q139 タングート族を率いて西夏を建国し、度重なる侵攻を与えたことで宋を苦しめた西夏の初代国王は誰でしょう?

Q140 文人としての才能もあった王安石の詩「詠柘榴」の一説に由来する、男性たちの中に一人混じった女性を表す言葉は何でしょう?

Q141 王安石の改革に反対した旧法党の重要人物で、次の皇帝が即位した際に宰相となって彼の改革を廃してしまったのは誰でしょう?

答え➜

A139 李元昊 (りげんこう)

A140 紅一点

A141 司馬光

解説

北宋は、唐末期の武断政治への反発から文治主義をとったため、仕える多数の官僚への俸給額が増大していた。さらに、遼や西夏などの北方民族と接触したことから、防衛や和平における費用がかさんだため、財政は非常に圧迫されていた。これらを背景として11世紀後半に富国強兵を目指した改革を行ったのが王安石である。文人としても優れた才能を持ち、唐宋八大家にも数えられた王安石は、小農保護のための青苗法、若者を地方の守りに充てた保甲法をはじめ、市易法、募役法、均輸法、保馬法などの新法を推し進めた。だが、急激な改革は司馬光を代表とする保守派の反発を招き、難航してしまう。王安石と同じく、優れた官僚かつ文人である司馬光は、王安石に反発して宮廷を離れた間に歴史書『資治通鑑』(しじつうかん)を著し、王安石失脚後は宰相にも登用されている。

▶王安石

KEY WORD

モンゴル帝国

Q.142 祖先をたどれば「蒼き狼」ことボルテ＝チノにもつながるともいわれる、モンゴル帝国の初代皇帝といえば誰でしょう？

Q.143 モンゴル帝国における国会に相当する、部族長が集まって重要事項の決定を行う会議のことを何というでしょう？

Q.144 鎌倉時代の日本にも軍隊を送り込んだ、モンゴル帝国第5代皇帝で、元朝の創始者でもあるのは誰でしょう？

答え→

A142 チンギス=ハン

A143 クリルタイ

A144 クビライ

 解説

　12世紀末から13世紀初頭にかけて、モンゴル部族を次々に制圧し、覇権を拡大していたテムジンは、1206年、部族長の大集会であるクリルタイにて「ハン」の位に就いてチンギス=ハンと称し、ここにモンゴル帝国が成立した。チンギス=ハンは千戸制という軍事行政制度を編成したほか、周辺国家への遠征を行い、ホラズム朝や西夏を滅亡に追い込んだ。続いて皇帝に即位したオゴタイは、金を滅ぼし、都をカラコルムに置いた。また、バトゥを西方に派遣し、ワールシュタットの戦い等で、キリスト教国家にまで脅威を与えた。第4代皇帝のモンケも、弟のクビライ、フラグを派遣し、

それぞれ大理、アッバース朝を滅亡させた。モンケの死後、権力争奪を制したクビライは第5代皇帝に即位し、中国にまで広がった領土の国号を元とし、首都を大都（現在の北京）に遷した。彼も先代と同じく領土拡大に乗り出し、高麗を属国として南宋を滅ぼしたほか、日本にも2度遠征軍を派遣した（元寇）。

▶チンギス=ハン

◆アジア世界の変遷◆

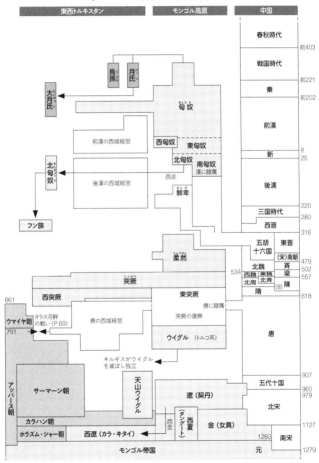

東西トルキスタン	モンゴル高原	中国	
		春秋時代	前403
		戦国時代	前221
烏孫 月氏		秦	前202
大月氏 ←	匈奴	前漢	
前漢の西域経営	西匈奴 東匈奴	新	8 / 25
北匈奴 ←	北匈奴 南匈奴 漢に隷属	後漢	
後漢の西域経営	西走		
	鮮卑	三国時代	220
		西晋	280
フン族 ↓			316
	柔然	五胡十六国 / 東晋	
		北魏 / (宋)南朝	479
突厥		西魏 東魏 / 斉	502 / 534
西突厥	東突厥	北周 北斉 / 梁	557
		隋 陳	589 / 618
ウマイヤ朝	タラス河畔の戦い(P.69) ← 唐の西域経営	突厥の復興	661 / 751
アッバース朝	サーマーン朝	ウイグル (トルコ系)	唐
		キルギスがウイグルを滅ぼし独立 ←	
	天山ウイグル		907
	カラハン朝	遼 (契丹)	五代十国 / 北宋	960 / 979
	ホラズム・シャー朝	西遼 (カラ・キタイ) ← 西走 〔タングート〕西夏	金 (女真)	1127
			南宋	1260
モンゴル帝国		元	1279

暗記術

文科三類2年　郷治太乙

　何かを覚えようとするときにはまず、すでに知っていることと結びつけることが一つ有効な方法です。例えば、「トンボロ」という地形の説明を定義通り聞くよりも、江ノ島や函館山といった有名かつ具体的な場所でイメージした方が理解が早いです。ほかには、カテゴリ化するという行為も暗記に有効で、自分はこれをよく使っています。例えば、エベレストは世界一の山であると同時にユーラシア大陸であると考えると、自然とほかの大陸の最高峰も覚えよう、となります。高校時代にクイズ研究会を設立して活動するようになってから、そのような思考がより研ぎ澄まされていきました。世界史でも王朝の初代国王や首都などはまとめて覚えていましたし、イスラームやルネサンス期の文化史の著者と著名も全て対応させて覚えていないとどこか気持ち悪いという感覚を持てたことが良かったと思います。

　ほかにも通史の流れや地域史を順番に辿っていくときには粗い網の目を徐々に絞っていくように覚える方法があります。これは最初に紹介した、既知のものと関連づける方法に近く、クイズでは歴代の天皇や甲子園優勝校を覚えるときなどに使いました。例えば、フランス史ではルイ14世やマリー＝アントワネット、ナポレオンといった人物は世界史を勉強する前から名前くらいは知っていた人が多いと思いますが、それぞれがどのような時代背景で何をしたのか把握し、次にそれぞれの時代の間に何が起きたのか、とどんどん隙間に知識を挟むように入れていくのです。年号も主要な出来事だけしっかりと覚え、その前か後かを時代の流れから判断すれば、私大の超難問はともかく国公立大学の世界史はクリアできます。

　最後にエピソード記憶です。特殊な状況下で覚えたり、語呂合わせや言葉遊びで覚えたりする方法です。例えば芦田愛菜と徹底した禁欲で知られるジャイナ教の創始者・ヴァルダマーナは語感が似ていますが、自分はこれを利用して「芦田愛菜ちゃんは超ストイック」と覚えていました。

第 4 章

大航海時代による
世界のつながり

4章の「大航海時代」は、ヨーロッパの封建制を
崩壊させた銀流通の世界的な普及が
次章のアヘン戦争にもつながるように、
世界史が急速にヨコの広がりを持つ時代である。
東大の大論述問題では
2004年に「16-18世紀における銀を中心とした
世界経済の一体化の流れ」が問われ、
2020年には「15世紀頃から19世紀末までの時期における、
東アジアの伝統的な国際関係のあり方と近代におけるその変容」
を朝鮮とベトナム中心に論じさせた。
世界中が混じり合うさまをイメージしながら知識を深めたい。

KEY WORD

宗教改革

Q145 キング牧師の名はその人物の名が由来となったという、『九十五カ条の論題』を発表して宗教改革を主導した人物は誰でしょう?

Q146 繰り返し離婚しようとするも教皇に反対されたため、イギリス国教会を成立させて教皇と絶縁した、16世紀初頭のイギリス国王は誰でしょう?

Q147 カトリック派が新教徒に対抗して自らを立て直すために設立され、フランシスコ=ザビエルも所属していた団体を何というでしょう?

答え→

117

A145 マルティン=ルター

A146 ヘンリ8世

A147 イエズス会

解説

　ルターの宗教改革以後、神聖ローマ帝国ではルター派と皇帝派（旧教）の対立が続いた。1526年のモハーチの戦いでオスマン帝国にハンガリーを奪われた皇帝は、宗教的内紛を抑えてオスマン帝国に対抗するため、シュパイアー帝国議会でルター派を黙認したものの、オスマン帝国がウィーン包囲に失敗すると再びルター派を禁止した。これに対してルター派はシュマルカルデン同盟を結成、皇帝派と戦ったが敗北した。1555年、アウクスブルクの宗教和議でついにルター派は公認されたが、領邦単位の公認であり、民衆個人が宗派を選ぶことはできなかった。同じ頃、スイスでも宗教改革の動きが見られ、チューリヒでツヴィングリが贖宥状の反対を唱える。彼はカトリックとの衝突で戦死してしまうが、フランスから亡命してきたカルヴァンがスイスを拠点にし、『キリスト教綱要』を発表、教皇の権威を否定しながら予定説を説いた。その後、カルヴァン派（改革派）は、イングランドではピューリタン、フランスではユグノーなど、さまざまな名称で呼ばれつつ各国で支持された。イギリスではカトリックからの独立を目指すヘンリ8世が発布した国王至上法でイギリス国教会を成立させ、エリザベス1世による統一法で国教会を確立させた。一方、カトリック側でも対抗宗教改革が起こり、イグナティウス＝ロヨラを中心とする旧教徒がイエズス会を設立した。

KEY WORD

マテオ＝リッチ

Q148 マテオ=リッチが刊行した、中国最初の漢訳世界地図は何でしょう？

Q149 『幾何原本』の漢訳や『農政全書』、『崇禎暦書』の編纂などを行った、明代の政治家・学者は誰でしょう？

Q150 マテオ=リッチをマカオに招いた、日本にて、天正遣欧少年使節派遣を実施したイエズス会所属の宣教師は誰でしょう？

答え➡

A148 坤輿万国全図

A149 徐光啓

A150 アレッサンドロ＝ヴァリニャーノ

解説

　イグナティウス＝ロヨラが1534年にフランシスコ＝ザビエルらと結成したイエズス会の宣教師としてマテオ＝リッチは、インド、マカオを経て中国に渡ると、布教を進めながらも伝統文化の尊重とヨーロッパの科学技術の紹介に重点を置いて活動、中国で最初の漢訳世界地図である『坤輿万国全図』を刊行するなどした。彼の影響で中国の高官だった徐光啓は入信、マテオ＝リッチが古代ギリシアの数学者エウクレイデスの『幾何学原本』を漢訳し、刊行するのに協力した。また、洋学の知識を高めた徐光啓は、農業技術や農業政策の総合書『農政全書』刊行、暦法書『崇禎暦書』の編纂なども行った。

▶『中国図説』（アタナシウス・キルヒャー）内挿絵

KEY WORD

小中華思想

Q151 朝鮮王朝（李氏朝鮮）時代に世宗が作成するも公用化されたのは1890年代となった、現代の韓国の公用文字は何でしょう？

Q152 満州族を統合して八旗という軍事組織を整備し、後金の建国で清の基礎を作った人物は誰でしょう？

Q153 高麗や朝鮮王朝（李氏朝鮮）において、官僚を輩出することのできる、身分階級の最上位を何というでしょう？

答え →

A151 ハングル（訓民正音）

A152 ヌルハチ

A153 両班（ヤンバン）

解説

　1392年、李成桂が高麗を倒して朝鮮王朝（李氏朝鮮）を建国した。世宗の時代には、現代のハングルが訓民正音という名で公布された。朝鮮王朝では、文官（文班）と武官（武班）を合わせた両班と呼ばれる官僚が実権を握っていた。一方、明が衰退する中でヌルハチは満州族を統一し、後金を建国した。その子供であるホンタイジはチャハル部を征服、国号を清と改めた。呉三桂の協力の元で中国本土に侵攻、乱を起こし明を滅亡させた李自成を倒して北京を制圧。この動きに対し、後金時代から侵攻を受けていた朝鮮王朝は清と冊封関係を持っていたものの、清が漢民族ではなく満州民族国家であることから、朝鮮王朝こそが中華文明の正統な後継者だとして儒教的儀式を重視した。この思想を小中華思想という。

朝鮮半島の王朝

衛氏朝鮮
前194頃～前108年

前漢の支配（4郡を設置）
前108年

三国時代
（高句麗・新羅・百済）
4～7世紀

新羅、半島統一
676年～935年

高麗　936年～1392年

朝鮮王朝　1392～1896年

大韓帝国　1897～1910年

KEY WORD

ジズヤ

Q154 イスラーム教から見て、異教徒だが同じ一神教の経典を持つ民を何と呼ぶでしょう？

Q155 アッバース朝で実現された、土地の所有者すべてに対して課すイスラーム世界における地租のことを何というでしょう？

Q156 ラージプート族女性との結婚や人頭税ジズヤを廃止などでヒンドゥー教徒との融和策をとった、ムガル帝国の第3代皇帝は誰でしょう？

答え →

A154 啓典の民

A155 ハラージュ

A156 アクバル

解説

　イスラーム世界における税として、人頭税のジズヤと地租のハラージュの二つがよく知られている。イスラーム帝国がジハードを展開して領土を拡大すると、征服地にはイスラーム以外の宗教を信仰する者が多くなっていくが、帝国は彼らに改宗を強制しなかったため、帝国民には①イスラーム教を信仰するアラブ人、②イスラーム教に改宗した被征服民（マワーリー）、③改宗せずにユダヤ教やキリスト教を信仰している（＝啓典の民）が政府に保護されている被征服民（ズィンミー）、の3種類が存在した。ウマイヤ朝では、アラブ人ならば土地を所有していても地租を納める義務が免除されるなどの優遇政策がとられていたが、アッバース朝では、ズィンミーにはジズヤとハラージュが課せられたものの、マワーリーはジズヤが免除されたことでムスリム内でのアラブ人と非アラブ人の格差がなくなり、イスラーム教徒の平等が実現した。

KEY WORD

ウエストファリア条約

Q157 ベーメンでの新教徒の反乱から国際的宗教戦争に発展した戦争の総称を、その戦争が行われていた期間から何と呼ぶでしょう?

Q158 「北方の獅子王」の異名を持つほどであったが、極度の近視のためにリュッツェンの戦いでは敵中まで進軍してしまったことに気づかず戦死したスウェーデン王は誰でしょう?

Q159 1625年に『戦争と平和の法』を記し、「国際法の父」と呼ばれた法学者は誰でしょう?

答え →

A157 三十年戦争

A158 グスタフ=アドルフ

A159 グロティウス

解説

　1555年にアウクスブルクの宗教和議を迎えたあとも旧教徒と新教徒の対立は収まらず、オーストリア＝ハプスブルク家のフェルディナント2世がプロテスタントを弾圧すると神聖ローマ帝国の新旧教徒が衝突、デンマークのクリスティアン4世やスウェーデンのグスタフ＝アドルフが新教徒側に加担し、旧教徒側の傭兵隊長ヴァレンシュタインら神聖ローマ皇帝軍と戦った。1630年代半ばになると、宰相リシュリューによる反ハプスブルク家政策の一環として旧教国のフランスが新教徒側に加担し、戦争は政治的要素を帯びるようになるが、1648年、ウェストファリア条約をもってようやく三十年戦争は終結する。この条約では、アウクスブルクの宗教和議では認められなかったカルヴァン派の公認などが盛り込まれたほか、フランスとスウェーデンがそれぞれアルザス地方と西ポンメルンを獲得、さらには神聖ローマ帝国内の領邦に主権を認めるものだったことから、神聖ローマ帝国の有名無実化、主権国家体制の確立をも意味していた。主権国家体制とは、勢力均衡の考えのもと、各国が外交によって国際秩序を保つ体制である。さらにはオランダとスイスの独立も承認された。また三十年戦争では、戦力として用いられた傭兵が略奪を繰り返したことで主戦場となったドイツは著しく荒廃した。その経験を基にグロティウスは『戦争と平和の法』を記し、国際法の基礎を形作った。

KEY WORD

トマス＝ペイン

Q160 北米大陸にあったオランダ植民地のニューアムステルダムとは現在のどこの都市でしょう？

Q161 アメリカ大陸の植民地が自分たちの代表を送り込めない状態で不当な課税を強いるイギリス本国の議会に対して反発して起こした運動のスローガンとは何だったでしょう？

Q162 トマス＝ペインが1776年に刊行し、平易な文でアメリカのイギリスからの分離独立を主張したことで気運を高めた著作は何でしょう？

答え→

A160 ニューヨーク

A161 代表なくして課税なし

A162 コモン=センス

解説

　17世紀初頭から北米大陸では、オランダ、スペイン、イギリス、フランスが植民地の建設を進めていたが、英蘭戦争の中でイギリスはオランダ領ニューアムステルダムを占領し、ニューヨークと改名。次いでイギリスはフレンチ=インディアン戦争の講和条約であるパリ条約でミシシッピ川以東のルイジアナを獲得し、北米大陸からフランス勢力を一掃した。しかし、戦争による財政難から印紙法や砂糖法の制定などで植民地への課税が強化されると、植民地議会は「代表なくして課税なし（No Taxation Without Representation）」のスローガンを決議して反発する。1773年には、植民地の紅茶に重税をかける茶法に対して、植民地の急進派が「ボストン茶会事件」を起こした。イギリス本国と植民地側の対立は明確になり、レキシントンの戦いを皮切りに戦争へと突入する。当初はイギリス側が優勢だったが、植民地側がワシントンを総司令官に任命して軍隊が組織化されると戦争は長期化するにつれ、『コモン=センス』の発刊などもあり世論は独立へと傾き、1776年7月4日にはトマス=ジェファーソンらが起草した「独立宣言」が第2回大陸会議（第1回は1774年にフィラデルフィアで開催）で公布された。植民地側にスペインやオランダが参戦し、ロシアのエカチェリーナ2世が武装中立同盟を提唱してイギリスは孤立した結果、1781年にヨークタウンの戦いをもって植民地軍が勝利し、1783年のパリ条約でアメリカの独立が承認された。

KEY WORD

マラッカ海峡

Q163 世界四大スパイスの一つで、ポトフや肉料理によく使用される、モルッカ諸島などで生産されるチョウジノキを乾燥させたスパイスといえば何でしょう？

Q164 明の永楽帝の命で大艦隊を率い、東南アジアから東アフリカまで広範囲にわたって大航海を行ったイスラーム教徒の宦官は誰でしょう？

Q165 周囲ではバンテン王国などのイスラーム国家が栄えていた、インドネシアのジャワ島とスマトラ島の間にある海峡を何というでしょう？

答え➡

A163 クローブ（丁子）

A164 鄭和 ^{てい わ}

A165 スンダ海峡

 解説

マラッカ海峡は、インド洋と南シナ海をつないでいるため、古来より商業ルートとして利用されてきた。特に、インドネシアにあるモルッカ諸島は香辛料の産地であったため、同じ両海域をつなぐスンダ海峡と合わせて香辛料貿易を行う上での重要な海峡であった。15世紀の鄭和のマラッカ王国への来航以降、ムスリム商人との交易が活発化し、周囲のイスラーム化が進んだことで、マラッカはムスリム商人の拠点として栄えたが、1511年のポルトガルによるマラッカ占領を契機に、ヨーロッパ人の参入が始まった。これに対し、ムスリム商人はスンダ海峡を通るルートを開拓し、周辺ではアチェ王国やバンテン王国が栄えた。このように、ポルトガルはスンダ海峡を支配下に置けなかったため、香辛料貿易の独占は叶わなかった。その後、オランダ東インド会社によって両海峡は支配下に置かれ、オランダが香辛料貿易を独占した。

**東南アジア地域の
ムスリム商人の貿易路**

KEY WORD

商業革命

Q166 1500年にブラジルに到達したほか、カリカットから香辛料をポルトガルに持ち帰り香辛料貿易の契機を作った航海者は誰でしょう？

Q167 大航海時代以降にアメリカ大陸への毛織物輸出で台頭したベルギー北部の港湾都市はどこでしょう？

Q168 インド航路の発見によって衰退した、イタリアやドイツ諸都市による地中海を舞台とした交易を何というでしょう？

答え→

A166 カブラル

A167 アントウェルペン（アントワープ）

A168 東方貿易

 解説

　15世紀以来の大航海時代到来により、南北アメリカ大陸がヨーロッパ諸国に「発見」されると、喜望峰を回ったアジア諸国への新航路の開拓に伴ってヨーロッパ商業圏は世界規模に広がった。安価な東方の物産品の流入により、それまで主流であった地中海貿易やバルト海貿易に代わり新航路を用いた大西洋貿易が台頭すると、リスボンやアントウェルペンなどの沿岸部の港湾都市が繁栄することとなった。これが商業革命である。また、ヨーロッパからの毛織物などの輸出の代わりにアメリカ大陸からは安価な銀が大量に流入したため、ヨーロッパでは銀の価値が下がり、物価が高騰する価格革命が起きた。地代収入に依存していた封建領主たちはこれにより経済的に打撃を受け、封建制崩壊の一端ともなった。さらに、それまで地中海の諸都市に銀を供給していた南ドイツの諸都市も相対的に地位を低下させた。一方東ヨーロッパでは、西ヨーロッパへの輸出用穀物の需要が高まったことから領主の農奴に対する支配が強まった。

オランダ独立戦争

Q169　オランダ独立戦争はカトリック派であるスペインからの独立を目指したものでしたが、当時のスペイン国王は誰だったでしょう?

Q170　オランダ独立戦争の過程で南部10州は戦争から離脱する一方、北部7州は連携を強化して戦争を続行しました。このときに結成された同盟とは何でしょう?

Q171　オランダ独立戦争を指導したオラニエ公ウィレムの家系に由来する、現在のオランダのシンボルカラーは何色でしょう?

答え→

133

A169 フェリペ2世

A170 ユトレヒト同盟

A171 オレンジ

解説

　オランダ独立戦争は、強権的なカトリック政策を進める宗主国スペインのフェリペ2世に対し、カルヴァン派が多数を占めたネーデルラント諸州が1568年に起こした反乱が発端となっている。カルヴァン派の割合が低かった南部（のちのベルギー）は戦線を離脱するも、北部はユトレヒト同盟を結成、ネーデルラントは1581年にスペイン王室に対して統治権の拒否を宣誓するが、以降、1609年から12年間の休戦を挟みつつも1648年まで80年にわたる対スペイン戦争が繰り広げられた。これによりオランダ独立戦争を八十年戦争とも呼ぶ。開戦時からネーデルラントを指導したオラニエ公ウィレムは実質的な初代総督であり、現在のオランダ王室にもつながる。オラニエ公とはフランスのオランジュ（英語でオレンジ）地方領主だったことからの呼び名で、オラニエもオランダ語でオレンジの意味。現在でもサッカー代表チームのユニフォームがオレンジ色になっているなど、オランダのシンボルカラーとなっている。

▶フェリペ2世

KEY WORD

東インド会社

Q172 オランダ東インド会社のアジアにおける中心拠点が置かれた、インドネシアの首都ジャカルタの植民地時代の名称は何でしょう?

Q173 プラッシーの戦いでフランス・ベンガル太守連合軍を破ってイギリスのインド支配の基礎構築に貢献した、イギリス東インド会社の書記は誰でしょう?

Q174 フランス東インド会社を再建し、重商主義を推進したフランスの財務長官は誰でしょう?

答え→

A172 バタヴィア

A173 クライヴ

A174 コルベール

解説

　16世紀以降、アジア進出を狙ったヨーロッパ諸国で次々と設立された東インド会社は、当該国の政府から貿易独占権という特権を手に商業活動を始める。なかでも1602年設立のオランダ東インド会社は、史上初の株式会社という側面を持っていた。彼らはバタヴィアを拠点とし、アンボイナ事件でイギリスを、マラッカやスリランカではポルトガルを排斥したことで、香辛料の生産地であるモルッカ諸島や、香辛料貿易の二大航路であるマラッカ海峡とスンダ海峡を掌握、オランダが香辛料貿易を独占することとなった。また、同時に台湾にも進出しており、17世紀半ばまでは最大の勢力を誇っていた。一方、1600年設立の先駆けだったイギリス東インド会社は、アンボイナ事件でインドシナを撤退するとインドに専念、マドラスやボンベイ、カルカッタに拠点を築いた。18世紀にインドを巡ってフランスとの間で起きたカーナティック戦争では、ベンガル太守と結んだデュプレクス主導のフランス軍に苦戦を強いられるもプラッシーの戦いで勝利を収め、インドの支配権を獲得した。その後はマイソール戦争、マラーター戦争、シク戦争を経てインド全体を支配下に置き、インド大反乱（セポイの乱）後にイギリス領インド帝国が建国されるまではザミーンダーリー制とライーヤトワーリー制という租税制度を用いてインドを統治した。1833年に本国により廃止されるまで中国貿易独占権を有してもいる。フランス東インド会社は、1664年にコルベールの重商主義政策の一環として再建され、インドのポンディシェリ・シャンデルナゴルに拠点を築いていた。

KEY WORD

大西洋三角貿易

Q175 現在のベナンやナイジェリアに位置する海岸を、ある貿易品の積み出しの拠点であったことから過去の地図では何と記していたでしょう?

Q176 17〜18世紀にコーヒーや紅茶の流行から需要が上昇した、天然の甘味料は何でしょう?

Q177 18世紀末にアメリカ南部で盛んに栽培されたコットンの材料とは何でしょう?

答え➜

A175 奴隷海岸

A176 砂糖

A177 綿花

 解説

　大西洋三角貿易とは、17世紀以降にヨーロッパ人を中心に行われた、ヨーロッパ・アフリカ・アメリカを結ぶ地域間貿易である。ヨーロッパからアフリカへは武器や雑貨・綿製品が、アフリカからアメリカへは奴隷が、アメリカからヨーロッパへは砂糖やタバコ、コーヒー、綿花などの農産物が輸出された。アメリカに輸出された奴隷は南部アメリカでの農作物栽培の労働力として利用された。ヨーロッパに輸出されたうち、砂糖は17、18世紀のコーヒーや紅茶の流行から重宝され、綿花は綿製品の原料として使用されたことで産業革命へと繋がる。大西洋三角貿易によってヨーロッパに富が蓄積される一方、南部アメリカに広がった綿花のプランテーション農業は南部アメリカにおいて、モノカルチャー化、北部アメリカとの経済構造格差をもたらし、ひいては労働力として不可欠な黒人奴隷の存在から南北戦争へとつながっていく。

大西洋三角貿易

KEY WORD

価格革命

Q178 ヨーロッパに大量の銀をもたらし、価格革命を引き起こすことになった、現在の南米ボリビアに位置する巨大銀山はどこでしょう?

Q179 スペイン国王が中南米に出向いた征服者らに対し、ある条件のもとに征服地の先住民を自由に扱う権利を与えた制度のことを何というでしょう?

Q180 中南米で発掘された銀はのちにその多くが中国へもたらせるようになり、1580年代に明で始まった銀納税制を支えることになりますが、この税制を何というでしょう?

答え➔

A178 ポトシ銀山

A179 エンコミエンダ制

A180 一条鞭法

 解説

　16世紀半ばにスペインが発見したポトシ銀山はヨーロッパに空前の銀を
もたらし、銀の価値が下落、物価が高騰したことでインフレを引き起こし
た。これが価格革命である。これにより、固定地代収入に頼っていた封建
領主の没落が急速に進み、南ドイツの銀山を支配していた伝統的商業資本
も衰退したことで商業革命の引き金にもなった。価格革命の原因となった
大量の銀産出は、スペイン人征服者らによる中南米の先住民に対する強制
労働の産物であったが、これはスペイン国王が征服者らに、先住民へのカ
トリック布教を条件に征服地の土地と人民を自由に統治する権利を与えて
いたからである。これをエンコミエンダ制と呼ぶ。その後、中南米で大規
模な銀産出は長く続き、その多くは絹織物や生糸、陶磁器への支払いで明
へと流れ込むことになり、明の一条鞭法や、人頭税（丁銀）と地税（地銀）
を一括銀納させる清の地丁銀制を可能にしていく。

啓蒙専制君主

Q181 フリードリヒ大王とは生涯にわたって数多くの文書を交わすほどに親密であった、著書に『哲学書簡』などがある啓蒙思想家は誰でしょう？

Q182 モーツァルトの埋葬場所が不明となった要因の一つでもある葬式制度の質素化を制定し、母マリア＝テレジアとともに啓蒙専制君主の一人に数えられるオーストリアの皇帝は誰でしょう？

Q183 3度あったポーランド分割にすべて参加した上にクリミア半島への進出も果たした、ロシアの啓蒙専制君主は誰でしょう？

答え→

A181 ヴォルテール

A182 ヨーゼフ2世

A183 エカチェリーナ2世

 解説

　啓蒙専制君主が台頭した18世紀、西欧では重商主義政策や海外進出など
で富を蓄えたイギリスやフランスなどが経済的・政治的に台頭した。一方、
16世紀の商業革命以降、西欧への輸出用穀物の生産地となっていた東欧は
経済的に遅れた地域となっていた。穀物生産のための農業領主制（グーツ
ヘルシャフト）は、西欧が近代化する際の中心となった商人や市民の成長
を抑制していた。そのため、東欧諸国では西欧とは異なり、国王主導によ
る近代化が図られた。それらの国王らは、改革の拠り所として啓蒙思想を
抱いたため、啓蒙専制君主と呼ばれる。主な啓蒙専制君主としては、プロ
イセンのフリードリヒ2世（大王）、オーストリアのヨーゼフ2世、ロシア
のエカチェリーナ2世が挙げられる。フリードリヒ2世は「国家第一の僕」
を自称し、重商主義政策や軍備拡張を行ったほか、ヴォルテールら啓蒙思
想家を自国に招待し、啓蒙思想を学んでいる。ヨーゼフ2世は中央集権化
やドイツ語の公用化、宗教寛容令の発令などを行ったが、多民族国家であ
ったために国内で反発を招いた。エカチェリーナ2世は領土拡大に務め、
啓蒙専制君主の一人ではあったが、プガチョフの農民反乱以後は反動化し、
農奴制を強化していった。

KEY WORD

産業革命

Q184 四分割した農地それぞれで大麦・小麦・クローバー（牧草）・カブ（飼料）を1年ごとに順番に栽培した、四輪作の農法を何と呼ぶでしょう？

Q185 ハーグリーヴズが制作した多軸式の紡績機の名は何でしょう？

Q186 石炭を空気と遮断した状態で燃焼させることで硫黄やコールタールなどの不純物を取り除き、硬度・純度の高い鉄を製造することを可能にした製鉄法は何でしょう？

答え➡

A184 ノーフォーク農法

A185 ジェニー紡績機

A186 コークス製鉄法

 解説

　産業革命は、農業を基盤とする社会から工業を基盤とする資本主義社会への移行を目指した革命で、18世紀後半にイギリスで起こり、19世紀以降世界各国に広まった。イギリスでは主に、ハーグリーヴズのジェニー紡績機やアークライトの水力紡績機、クロンプトンのミュール紡績機といった織布機械が発明され、また、スティーヴンソンによる蒸気機関車やフルトン（アメリカ）による蒸気船など、蒸気を利用した交通機関の改良が行われた。

イギリスの産業革命

■農業革命	■技術革新
ノーフォーク農法 第二次囲い込み（エンクロージャー）	ジョン＝ケイ（飛び杼） ハーグリーヴズ（ジェニー紡績機） アークライト（水力紡績機） クロンプトン（ミュール紡績機） カートライト（力織機） ダービー父子（コークス製鉄法）

■動力革命	■交通革命
ニューコメン（炭鉱排水用の蒸気機関） ワット（蒸気機関の改良）	1825年　スティーヴィンソン（蒸気機関車） 　　　　　鉄道の実用化 1830年　マンチェスターリヴァプール 　　　　　間に公共鐵道開通

◆大航海時代の世界◆

ポルトガル領
スペイン領
イギリス領
フランス領

トルデシリャス条約分界線 (1494)
線より東はポルトガル領、西はスペイン領

教皇子午線 (1493)
線より東はポルトガル領、
西はスペイン領

サラゴサ条約分界線 (1529)
線より東はポルトガル領、
西はスペイン領

ポルトガル	
1143	ポルトガル王国の建国
~1460	エンリケ航海王子、探検・航路奨励
アメリカ大陸	
1500	カブラル、ブラジル探検
アフリカ大陸	
1431	北アフリカのセウタ攻略
1431	アゾレス諸島発見
1445	ヴェルデ岬発見
1488	ディアス、喜望峰到達
西アジア	
1515	サファヴィー朝のホルムズ島占拠
インド	
1498	ヴァスコ=ダ=ガマ、カリカット到達
1505	スリランカを占領
1510	ゴアを占領
東南アジア	
1511	マラッカを占領
東アジア	
1517	[明] 広東に入港
1543	[日本 (室町時代)] 種子島に鉄砲伝来
1549	[日本 (室町時代)] ザビエル、来日
1557	[明] マカオに居住権

スペイン	
1479	スペイン王国成立
1492	グラナダ陥落 (ナスル朝滅亡)
1516	カルロス1世即位 (ハプスブルク朝始まる)
1519	スペイン王カルロス1世、カール5世として神聖ローマ皇帝に選出
1519	マゼラン世界周航出発
アメリカ大陸	
1492	コロンブス、アメリカ大陸到達
1499	ヴェスプッチ、ベネズエラ沿岸探検
1513	バルボア、パナマ海峡探検 (太平洋発見)
1521	コルテス、アステカ王国を滅ぼす
1533	ピサロ、インカ帝国を滅ぼす
1545	ボリビアのポトシ銀山採掘開始
東南アジア	
1521	マゼラン、フィリピン諸島に到達
1571	フィリピンにマニラを建設

イギリス	
1339~1453	百年戦争 (対フランス)
1455	バラ戦争 (~1485)
1485	ヘンリ7世 (テューダー朝始まる)
1534	首長法発布、イギリス国教会成立
アメリカ大陸	
1498	カボット、北アメリカ到達

フランス	
1339~1453	百年戦争 (対イギリス)
1494	シャルル8世のイタリア遠征
1498	ルイ12世 (ヴァロア=オルレアン朝始まる)
1521~1559	イタリア戦争 (対神聖ローマ帝国)
アメリカ大陸	
1506	セントローレンス湾探検

歴史の流れを重視して

文科一類2年 蒲池海斗

　東大入試と聞くと、多くの知識を必要とする難しい問題が出るのでは？　と考える方がいるかもしれません。しかし、東大入試では難関私立大学のような細部にわたる歴史の知識は必要ありません。東大入試に必要な知識の範囲は、教科書レベルがほとんどです。東大入試の難しさは、教科書レベルの知識を相互に関連づけ、記述するところにあります。記述にあたってはただ知識を披露するだけでは点にならず、出来事同士がどのように影響を及ぼし合っているのか、歴史の流れを記述して初めて高得点が取れるようになります。つまり、東大入試を攻略するには出来事の内容だけでなく、その背景や意義を確実に理解しておく必要があります。

　では、東大入試を攻略するにあたりどのような勉強法を行えば良いのでしょうか？まず、教科書を複数読むことです。教科書はそれぞれ書かれている内容が少しずつ異なるため、一つの教科書だけで勉強していても、別の教科書にしか記述されていない内容が出題され、解けなくなる場合があります。そのため、授業で用いられているものとは異なる教科書を世界史担当の先生に借りるなどして、複数の教科書を読むようにすることがお勧めです。

　次に、教科書を読んで重要だと感じた出来事のまとめを作りましょう。教科書の文章から出来事の背景や意義を抽出する作業を行うことで、出来事同士の関係性が見えてきます。そのまとめを覚えることによって、効率的に東大入試に必要な知識を得ることができます。東大入試では、歴史の流れの対比構造や類似構造をテーマとする問題も多いため、その点に留意してまとめを作成しましょう。

　東大入試の攻略には、対比や類似を意識しながら出来事の背景・意義・結果を暗記し、歴史の流れを正しく記述することが必要です。私は担当箇所の執筆にあたって、読者に歴史の流れを掴んでいただけるよう心がけました。この本が少しでも歴史の流れの理解の一助となれば幸いです。

第**5**章
独立と革命の時代

5章では、古代ローマや古代ギリシアから
時を経て再び人民主権が国家の柱となり、
アメリカ独立戦争やフランス革命といった
数々の独立と革命に彩られた時代を扱う。
東大の大論述問題では
2013年に「1850年ころから70年代までの間に、
日本をふくむ諸地域がどのように
パクス＝ブリタニカに組み込まれ、また対抗したのか」、
2014年には「19世紀末までの時期、
ロシアの対外政策がユーラシア各地の国際情勢にもたらした変化」
が問われている。
劇的な変化や、それがもたらした意味に関する
出題の多い時代である。

KEY WORD

アメリカ独立戦争

Q187　アメリカ独立宣言を指揮し、現在のアメリカ1ドル紙幣にも描かれている人物とは誰でしょう？

Q188　アメリカ独立戦争で独立を画策する13州に対してフランスが全面支援を行ったときのフランス国王は誰でしょう？

Q189　アメリカ独立100周年を記念してフランスがアメリカに寄贈した、現在は有名な観光名所となっている文化遺産は何でしょう？

答え→

A187 ジョージ＝ワシントン

A188 ルイ16世

A189 自由の女神像

解説

　アメリカ東海岸の13州は、イギリス本国による不平等な重税に反発、独立を求めて開戦を決めた。独立後、アメリカ合衆国初代大統領に就任したのが、この戦いで指揮を執った植民地軍総司令官ワシントンであった。当初アメリカ側は苦戦を強いられたものの、当時イギリスと敵対していたフランスのルイ16世が1778年にアメリカを独立国として承認、全面支援を受けたことで戦局の巻き返しに成功する。続いてロシアが武装中立同盟を結び、イギリスの海上封鎖に対抗するなど、国際社会を味方につけたアメリカ側は1783年のパリ条約で独立を獲得し、同時にミシシッピ以東のルイジアナをイギリスから譲り受けた。一方、イギリスの国力を削ぐことには成功したものの深刻な財政難に陥ったフランスは、約6年後、1789年に勃発するフランス革命を誘引することになる。

▶ジョージ＝ワシントン

KEY WORD

フランス革命

Q190 反革命派の中心とされたことで恐怖政治下で処刑された、マリア=テレジアの娘でありルイ16世の妃でもある人物は誰でしょう?

Q191 フランス革命の発端となった、1789年7月14日に起こった出来事は何でしょう?

Q192 フランス革命中に軍人ルージェ=ド=リールによって作詞・作曲されたといわれる、現フランス国歌の曲名は何でしょう?

答え→

A190 マリー＝アントワネット

A191 バスティーユ牢獄の襲撃

A192 ラ＝マルセイエーズ

解説

　フランス革命は、絶対王政の矛盾に根差して起こった革命である。1789年7月14日の「バスティーユ牢獄の襲撃」から始まり、憲法制定まで国民議会を解散しないことを誓い合った「球戯場（テニスコート）の誓い」や国王一家が王妃の故国オーストリアへの逃亡を企てた「ヴァレンヌ逃亡事件」、王の地位回復や革命政府の非正統性を訴えた「ピルニッツ宣言」などで知られる。1792年にはエミグレ（亡命貴族）を巡ってオーストリアと開戦、その最中に作られ、兵士やパリ市民の間で流行した曲がのちにフランス国歌として定着した。革命によって絶対王政は倒れたが、民主化の実現は後世に託されることになる。

▲バスティーユ襲撃

KEY WORD

ナポレオン

Q193 ヨーロッパのほとんどを勢力下に置いた
ナポレオンは晩年、ある遠征をきっかけに
急激に劣勢に立たされることになりました。
このナポレオン失脚の引き金になったとも
いえる事件とは何でしょう?

Q194 ナポレオンがイギリス以外のヨーロッパを
ほぼ支配下におさめたことで定着した、現
在でも日本やイギリスとその植民地以外で
はほぼ採用されている社会的なルールとは
何でしょう?

Q195 ナポレオンがイギリス牽制のために行った
エジプト遠征をきっかけに解読が進んだ、
ある文字とは何でしょう?

答え→

A193 ロシア遠征

A194 右側通行

A195 ヒエログリフ（神聖文字）

🖋 解説

　革命後のフランスは、君主制をとる周辺国家から強い圧力を受ける中、先頭に立ってヨーロッパ侵略戦争を戦い、一時はイギリスを除くほぼ全域を勢力下におさめた。その指揮を執ったのがナポレオンであった。その過程で彼は、メートル法や右側通行といった新しい概念を次々と支配地域に強要し、定着させてもいる。また、インドに植民地を持つイギリスにとってエジプトは重要な経由地となっていたが、その地を支配下に置こうと遠征を行った。その遠征の帰還時に持ち帰ったロゼッタストーンはヒエログリフの解読につながり、ナポレオンの大きな功績とされている。1810年、ナポレオンが発案したイギリスとの貿易禁止政策（大陸封鎖令、ベルリン勅令とも）にロシアが反発、するとナポレオンは1812年にロシア遠征を強行する。だが、ロシアの自然がもたらす冬将軍に阻まれてロシア占領に失敗すると、それまでナポレオンに支配されていた諸国は一斉に反旗を翻し、ナポレオンによる支配は崩壊していった。

▶『サン゠ベルナール峠を越えるボナパルト』ジャック゠ルイ・ダヴィッド

KEY WORD

南下政策

Q196 ロシアが南下政策によって獲得を目指した、冬でも海面が凍らない港のことを何というでしょう？

Q197 カフカスをめぐり、ロシアとイランのカージャール朝の間で起きた2度の戦争の結果、ロシアがアルメニアとアゼルバイジャン北部を獲得した条約は何でしょう？

Q198 ナイチンゲールの活躍でも有名な、ロシアの南下政策の挫折をもたらしたロシアとオスマン帝国・イギリス・フランス間の戦争は何でしょう？

答え➡

A196 不凍港

A197 トルコマンチャーイ条約

A198 クリミア戦争

 解説

　南下政策とは、ロシアが不凍港の獲得や地中海への進出を求めて領地を拡大しようとした政策である。ピョートル1世はアゾフ海に、エカチェリーナ2世はクリミア半島へと進出し、ニコライ1世時代にはトルコマンチャーイ条約によってイランのカージャール朝からアルメニアを獲得している。ロシアの領地拡大の動きに対し、特に干渉を試みたのはイギリスである。ロシアがエジプト＝トルコ戦争などへの介入で地中海への進出を図り、オスマン帝国内の正教会教徒の保護を名目にオスマン帝国に戦争を仕掛けたクリミア戦争の際は、フランスとともにオスマン帝国側に参戦し、ロシアを敗北させている。また、露土戦争のサン＝ステファノ条約でロシアが領土を拡大させた際にもオーストリアとともに反発し、ビスマルクによるベルリン会議で領土拡大を阻止した。こうした西欧諸国の妨害はロシアの目をアジアに向けさせ、クリミア戦争後、ロシアは中央アジアに進出、ブハラ＝ハン国、ヒヴァ＝ハン国、コーカンド＝ハン国の3ハン国を支配下に置く。一方のイギリスは、植民地であるインドへの影響を危惧し、ロシアに先んじてアフガン戦争を起こすなど、イランではロシアとイギリス間で勢力競争が繰り広げられた。シベリア鉄道の建設を進めていた東アジアでも、ロシアが清とアイグン条約や北京条約を結び、ウラジヴォストークに軍港を建設すると、イギリスは日本と日英同盟を結び、これに対抗している。

KEY WORD

ウィーン体制

Q199 会議に出席する者の利害が対立してなかなか審議が進まない様子を表した、ウィーン会議を風刺した表現は何でしょう?

Q200 19世紀半ばにイギリスが圧倒的な経済力と軍事力を有していたことを表す、かつてのローマにならった言葉とは何でしょう?

Q201 ウィーン会議の基本原則である「正統主義」を提唱したフランス代表は誰でしょう?

答え➡

A199 会議は踊る、されど進まず

A200 パクス＝ブリタニカ

A201 タレーラン

解説

　ウィーン体制とは、ウィーン会議で作られた国際秩序である。ウィーン会議は1814年から翌1815年にかけて開かれ、ナポレオンの築いた帝国がナポレオン戦争で崩壊し、混乱に覆われていたヨーロッパに秩序を取り戻すため、オーストリアのメッテルニヒが主催となってヨーロッパ各国の代表が集まった。参加者にはフランスのタレーラン、ロシアのアレクサンドル1世，プロイセンのフリードリヒ＝ヴィルヘルム3世、イギリス代表のカースルレイなどが挙げられる。フランスのタレーランが提唱した、フランス革命以前の体制に戻す「正統主義」、ならびにイギリスが提唱した「勢力均衡」を基本原則として、自由主義とナショナリズム運動の抑圧がはかられた。

▶メッテルニヒ

ビスマルク

Q202　ビスマルクを首相に起用したプロイセン王は誰でしょう？

Q203　ビスマルクが諸外国との間で結んだ同盟網であるビスマルク体制。それによって孤立させられた国はどこでしょう？

Q204　ビスマルクがその城の建設を支援することでバイエルン国王のルートヴィヒ2世を懐柔した、ディズニーランドにあるシンデレラ城のモデルとも言われる城の名前は何でしょう？

答え

A202 ヴィルヘルム1世

A203 フランス

A204 ノイシュバンシュタイン城

 解説

　ビスマルクはドイツの地主貴族であるユンカーの出身であり、19世紀後半のヴィルヘルム1世時代にプロイセン首相とドイツ帝国宰相を務めた人物である。彼は就任の際に「問題は、演説や多数決ではなく、ただ鉄（武器）と血（兵士）によってのみ解決される」と演説し、武力でのドイツ統一を目指した。この際に、プロイセンは自国主体の民族統一を目指す小ドイツ主義を支持し、オーストリアも含めた民族統一を唱えるオーストリアと対立した。1866年にプロイセンはシュレスヴィヒ公国とホルシュタイン公国を巡ってオーストリアと普墺戦争をして勝利し、翌年にはプロイセンを盟主とする北ドイツ連邦を成立させた。1870年にはビスマルクが皇帝からの電報を省略して公表することで普仏両国の間に対立を生み、フランスのナポレオン3世相手に普仏戦争をし、勝利した。包囲したパリのヴェルサイユ宮殿でヴィルヘルム1世のドイツ皇帝即位式が行われ、その際、この戦争で同盟を結んでいたバイエルンなどの南ドイツが加わり、ドイツ統一がなされた。ドイツの繁栄に貢献したビスマルクだが、次の皇帝ヴィルヘルム2世に「老いた水先案内人」と揶揄され、辞職に追いやられた。

KEY WORD

パクス＝ブリタニカ

Q205 著書『人口論』で人口抑制による貧困解消を提唱した、イギリスの古典派経済学者は誰でしょう？

Q206 産業革命後、繊維製品や工業製品、資本の輸出によってイギリスが世界経済の覇権を握ったことから当時のイギリスを「世界の何」と呼ぶでしょう？

Q207 1876年にオスマン帝国で発布された、アジア最初の憲法を何というでしょう？

答え →

A205 マルサス

A206 世界の工場

A207 ミドハト憲法

 解説

　「パクス＝ロマーナ」に準じて、強大な帝国と化したイギリスによって19世紀にもたらされた安定した時代は「パクス＝ブリタニカ」と呼ばれた。産業革命後、マルサスやリカードらの古典派経済学者により自由貿易主義の思想が登場していたイギリスでは、1833年の東インド会社中国貿易独占権廃止、1846年の穀物法の撤廃、1849年の航海法の撤廃によって自由貿易が本格化した。イギリスは、クリミア戦争を契機にオスマン帝国へ、アヘン戦争やアロー戦争を契機に中国へ、また、イランやエジプト、日本にも経済的影響力を及ぼしていくと、すでに植民地であったインドも合わせて経済圏を世界に広げ、「世界の工場」や「世界の銀行」（ただしこれはイギリス本国というよりはイングランド銀行に対する呼称だった）と呼ばれるに至った。その結果、オスマン帝国で国を立て直すためにミドハト憲法が制定されるなど、ドイツや日本といった世界各国でイギリスに対抗する運動の流れも見られた。

KEY WORD

モンロー宣言

Q208 中南米で起きた多くの独立運動の中心となった、植民地生まれの白人のことを何と呼ぶでしょう?

Q209 ベネズエラの正式名称にその名を残す、ベネズエラやコロンビアなどの独立に貢献した革命家は誰でしょう?

Q210 南北アメリカ大陸への経済進出を狙って、南北アメリカの独立を支持したイギリス外相は誰でしょう?

答え➔

A208 クリオーリョ

A209 シモン＝ボリバル

A210 カニング

 解説

ラテンアメリカの独立はアメリカの独立やフランス革命の影響から始まっている。ハイチでは、「黒いジャコバン」と呼ばれた黒人奴隷出身のトゥサン＝ルベルチュールを指導者とする独立運動によって1804年に独立を果たした。スペイン領植民地ではクリオーリョを中心に独立運動が起こり、シモン＝ボリバルが北側からベネズエラ、コロンビア、エクアドル、ペルーを、サン＝マルティンが南側からアルゼンチン、チリ、ペルーを解放していった。また、ポルトガル領ブラジルでもポルトガル王子ドン＝ペドロが独立を宣言して帝政を開始している。メキシコでも、結果的にスペイン軍に鎮静化されたが、イダルゴの指揮の下で独立運動が起こった。これらの動きに対し、アメリカ第5代大統領モンローは1823年にモンロー宣言を発し、アメリカ大陸諸国とヨーロッパ諸国の相互不干渉を求めると、イギリス外相のカニングも経済進出を狙って独立を支援、モンロー宣言を支持するカニング外交を行った。これらの動きは、アメリカ合衆国による南北アメリカの支配とパン＝アメリカ主義、ラテンアメリカ諸国のヨーロッパへの経済的従属につながっていく。

KEY WORD

ジャガイモ飢饉

Q211 アイルランドで起きたジャガイモ飢饉が最大となった1845年の翌年にイギリスで廃止された法律とは何でしょう？

Q212 イギリスのアイルランド支配は、17世紀にイギリスのある人物がアイルランドを占領するように仕向けたことから始まります。この人物とは誰でしょう？

Q213 ジャガイモ飢饉を受けて多くのアイルランド人がアメリカに移住しましたが、その移民の中からのちのアメリカ大統領が誕生しました。その人物とは誰でしょう？

答え➡

KEY WORD

ジャガイモ飢饉

Q211 アイルランドで起きたジャガイモ飢饉が最大となった1845年の翌年にイギリスで廃止された法律とは何でしょう？

Q212 イギリスのアイルランド支配は、17世紀にイギリスのある人物がアイルランドを占領するように仕向けたことから始まります。この人物とは誰でしょう？

Q213 ジャガイモ飢饉を受けて多くのアイルランド人がアメリカに移住しましたが、その移民の中からのちのアメリカ大統領が誕生しました。その人物とは誰でしょう？

答え➡

A211 穀物法

A212 クロムウェル

A213 ケネディ

解説

　ピューリタン革命の最中にイギリスで実権を握ったクロムウェルは、王党派が基盤の一つとしていたアイルランドに侵攻する。これをきっかけに、イギリス人不在地主によるアイルランドの土地支配が始まった。小作地で収穫された小麦などの穀物は多くがイギリスに輸出され、農民は代わりにジャガイモを栽培して食料としていたが、1840年代にジャガイモ飢饉が発生、救済手段を持たないアイルランド農民らは次々とアメリカへ移住していった。この結果、アメリカでは現在も多くのアイルランド系移民が生活している。一方、イギリスではそれまで、穀物の輸入を制限して地主を守る穀物法が存続していたが、ジャガイモ飢饉の影響でアイルランドから運ばれてくる小麦が激減すると、コブデンやブライトの尽力もあって穀物法が廃止されることになる。

▶クロムウェル

KEY WORD

アヘン戦争

Q214 1842年に締結された、アヘン戦争の講和条約は何というでしょう？

Q215 アヘン戦争の講和条約で清が開港を認めた5港はどこでしょう？

Q216 広東でアヘンの取り締まりを強行し、イギリスが遠征軍を派遣する契機となった人物は誰でしょう？

答え➔

A214 南京条約

A215 上海、寧波（ニンボー）、福州、厦門（アモイ）、広州

A216 林則徐（りんそくじょ）

解説

　道光帝から欽差（きんさ）大臣に任命された林則徐は、アヘンの密輸を厳禁とし、広東省の虎門海岸でイギリス商人からアヘン2万箱を没収、破棄する。アヘンの禁絶政策をとる清に対し、イギリスは1840年に遠征軍を派遣して海上から威圧した。清朝政府は林則徐に責任を負わせて罷免し、一度は和平の席に着くも決裂、アヘン戦争が勃発した。この戦争は1840年から1842年にかけて続き、清が敗北すると講和条約として南京条約が締結された。南京条約で清は、上海・寧波・福州・厦門・広州の5港の開港、香港島の割譲、公行（外国船貿易を独占した特許商人の組合）の廃止など、13条を認めることとなった。南京条約締結の翌年となる1843年には、追加条約として虎門寨追加条約（こもんさい）が締結され、清は片務的最恵国待遇や開港場におけるイギリス人の土地租借と住居建築などを承認させられることとなった。

▶林則徐

KEY WORD

中体西用

Q217 清末期に訪れた安定期のことで、西太后を母に持つ第10代皇帝が治めていた時代の元号がつけられた言葉とは何でしょう?

Q218 「中体西用」をスローガンに19世紀後半の中国で行われた近代化運動は何でしょう?

Q219 富国強兵策の一環として李鴻章が建設した近代的な海軍は何でしょう?

答え ➡

169

A217 同治中興

A218 洋務運動

A219 北洋艦隊

 解説

　1860年代の清朝では、アロー戦争での敗北後に国内の混乱が収まり、同治帝による比較的安定した政権が築かれた。いわゆる「同治中興」である。この下で、太平天国による国内の反乱を鎮圧して力をつけた曽国藩・李鴻章・左宗棠などの漢族官僚の主導のもと「洋務運動」と呼ばれる近代化政策が進められた。この運動は、「中体西用」をスローガンに西洋の技術を中国に取り入れることで富国強兵を目指したものであり、近代的な兵器工場の設立や海軍の創建、外国語学校の設立などが行われた。しかし、この運動は伝統的な思想や社会体制を維持したまま西洋の技術のみを利用しようとしたものであったため、政治的改革を伴わず、表面的なものに終わった。また、近代的な西洋産業の導入を主導したのは国家や官僚だったため、諸改革は彼らの蓄財や勢力の拡大に利用され民間企業の成長にはつながらなかった。このようにして洋務運動は限界を迎え、清仏戦争・日清戦争での敗北によってその挫折は決定的となった。ちなみに、同時期に日本で行われた明治維新は、洋務運動とは対照的に近代化の成功例とされている。

KEY WORD

南北戦争

Q220 南北戦争当時のアトランタを舞台に、南部の白人貴族社会が徐々に崩壊していく中でたくましく生きるヒロインの姿を描いた長編小説の名は何でしょう?

Q221 反奴隷制を唱えるリンカン大統領の誕生に反発した南部は合衆国からの独立を宣言しましたが、その国名と首都名は何でしょう?

Q222 南北戦争敗北によって奴隷制が廃止された南部で、主に公共空間における黒人隔離を正当化するために相次いで制定された人種差別立法の総称を何というでしょう?

答え➡

A220 風と共に去りぬ

A221 アメリカ連合国、リッチモンド

A222 ジム・クロウ法

解説

　南北戦争は、黒人奴隷の労働力に立脚したアメリカ南部と、奴隷制禁止などの価値観を受け入れるよう迫る北部との間で1861年に勃発し、南部が結成したアメリカ連合国が敗北を認めて解体する1865年まで続いた。敗北した南部の州は奴隷制廃止を受け入れ、合衆国に次々と復帰していったが、現地では黒人への差別意識が根強く残っていた。プレッシー判決などを背に、黒人分離を合法とみなす政策が進められ、南部諸州では黒人の選挙権を事実上制限した州法も作られるなど、あらゆる手段で黒人の社会参画を阻止しようとしていた。それらの黒人隔離政策は一般にジム・クロウ法と呼ばれた。この頃に刊行された『風と共に去りぬ』は南部を舞台とし、黒人奴隷制や、白人至上主義で知られるクー＝クラックス＝クラン（KKK）が肯定的に登場している。黒人差別政策は、1963年2月にケネディ大統領によって新しい公民権法制定の動きが生まれ、ジョンソン大統領の手で実際に制定される1965年まで続いた。だがその後も、人種差別はアメリカで根強い問題として残っている。

KEY WORD

フェビアン協会

Q223 フェビアン協会の中心として活動した、イギリスの社会運動家夫妻は誰でしょう？

Q224 フェビアン協会で重要な働きをした、代表作に映画『マイ・フェア・レディ』の原作となった『ピグマリオン』などがあるノーベル文学賞作家といえば誰でしょう？

Q225 フェビアン協会が理論的な支えとなった、現在も保守党とともにイギリスの二大政党を形成する政党とは何でしょう？

答え➔

ウェッブ夫妻

A224 バーナード＝ショー

A225 労働党

解説

　フェビアン協会は1884年にロンドンで設立され、慎重な持久戦で成果を上げた古代ローマの将軍ファビウスがその名の由来となっているように、漸進的な社会改革を目指して活動を進めた。議会制民主主義に基づき、着実に社会の改革を進めていくフェビアン協会の思想はイギリス社会主義の主流となり、労働党が結成されたあとその理論的支柱ともなった。

▲バーナード＝ショー

KEY WORD

セシル＝ローズ

Q226 ケープ植民地首相のセシル＝ローズが併合を目指し、その後、南アフリカ戦争（ボーア戦争）によってイギリス帝国領となった二つのオランダ人国家の名は？

Q227 その名をセシル＝ローズに由来したというローデシアは、現在の何という国がある地域でしょう？

Q228 セシル＝ローズが活躍した19世紀末から20世紀初頭にかけてイギリスが推し進めた、アフリカ進出政策を何と呼ぶでしょう？

答え➔

トランスヴァール共和国、オレンジ自由国

A227 **ジンバブエ、ザンビア**

A228 **縦断政策**

🖋 解説

19世紀末、セシル＝ローズがイギリス領であるケープ植民地の首相となると、在任中には積極的な拡大政策が進められた。トランスヴァールに侵入するなど、その強引さはイギリス本国からも批判の声が上がり、1896年には辞任に追い込まれる。だが、彼とイギリス本国の意思を継いだ植民地大臣ジョゼフ＝チェンバレンが南アフリカ（ボーア）戦争をしかけ、オランダ人地域のトランスヴァール共和国とオレンジ自由国を獲得、セシル＝ローズが獲得したローデシア（北部が現ザンビア、南部が現ジンバブエにあたる）に続いて、アフリカ南部奥地の植民地化にも成功する。このようにイギリスは、アフリカ大陸南端のケープ植民地からカイロまでのアフリカ東部をすべて植民地化しようとする縦断政策を進めており、フランスの横断政策と衝突しながら、19世紀末の3C政策へと引き継がれていく。

▶ケープタウンからカイロまで鉄道用の電線を引くセシル＝ローズの風刺画

KEY WORD

セオドア＝ローズヴェルト

Q229 1905年に終結した日露戦争の講和条約といえば何でしょう？

Q230 ローズヴェルトが狩りである動物の命を救ったという逸話から誕生したぬいぐるみとは何でしょう？

Q231 アメリカが東海岸と西海岸との間の大量輸送を可能にするため、1904年に建設を開始したものとは何でしょう？

答え→

A229 ポーツマス条約

A230 テディベア

A231 パナマ運河

解説

　セオドア=ローズヴェルトは史上最年少で大統領に就任し、1901～1909年の間の2期を務める中で、日露戦争を講和に導き、ポーツマス条約を両国に調印させたことでノーベル平和賞を受賞し、アメリカ初のノーベル賞受賞者となった。ハンターや探検家としての一面も持ち、熊狩りに出かけた際に瀕死の熊を救ったエピソードからテディベアが誕生したことでも有名である。一方、カリブ海地域に対する強権的な外交（棍棒外交）を推し進めてもいる。太平洋と大西洋をつなぐ運河の必要性を感じていたアメリカは、当時コロンビアの一部だったパナマ地域に独立戦争を起こさせ、独立国となったパナマ共和国からパナマ地峡の租借権を獲得、パナマ運河を実現させた。

▶セオドア=ローズヴェルト

◆イギリス帝国の拡大（パクス＝ブリタニカ）◆

年	領土拡大の政策
1801	アイルランド併合
1814	ウイーン議定書でケープ植民地・セイロン島獲得
1831	ギアナ（現ガイアナ）を領有
1842	アヘン戦争、香港島・九竜半島南部獲得
1858	ムガル帝国滅亡、インド直轄領化
1867	カナダを自治領化
1875	スエズ運河会社の株買収
1877	インド帝国成立、ヴィクトリア女王インド皇帝就任
1878	ベルリン会議でキプロス島の行政権を獲得
	アフガニスタン保護国化
1882	エジプト占領
1886	ビルマ、インド帝国に併合
	ソマリランドを保護国化
1895	ローデシア領有
	イギリス領マレー連合州成立
1898	威海衛・九竜半島租借
1899	スーダンをエジプトと共同管理
1890	ウガンダ領有
1901	イギリス領オーストラリア連邦成立
1907	ニュージーランドを自治領化
1910	イギリス領南アフリカ連邦成立
1914	エジプトを保護国化

ヴィクトリア女王（位1837〜1901）

東大世界史攻略法

文科三類2年 **郷治太乙**

　東大世界史は、大論述、中論述、小問集合の三つに大きくわかれています。論述はそもそも設問で聞かれていることに過不足なく答えなければいけないので、知識の有無だけでなく、問題の意図やテーマを汲み取る能力も問われています。特に大論述はこの能力が非常に重要で、与えられたキーワードや史料もヒントに何を答えるべきかを解答を書き始める前にまとめることが有効です。大論述はそうした構想に5分、実際に書くのに30〜35分くらいかかるイメージです。字数が600字前後と非常に長いので時間配分にも注意です。自分は大論述で時間を使い過ぎないよう、試験時間の最後に解いていました。

　中論述は3行（90字）前後の記述が数題出されます。小問集合はたまに短い記述形式の問題が出題されますが、多くは単語を答える一問一答形式です。中論述も小問集合もかなりマイナーな所から出ることもあるので文化史や現代史など手薄になりがちな教科書の内容の隅々までインプットしておく必要があります。2020年の「マルサス」や「フロイト」、2018年の「ウルドゥー語」など、教科書に載っているものの読み飛ばされがちな教養も問われる印象です。

　さて、東大世界史の対策についてですが、まずは通史を教科書や資料集、一問一答の参考書やアプリなどを使って一通り終わらせ、それを何回も反復して行うことで基本事項を習得します。学校の授業の進度に合わせてもなんとかなりますが、自分である程度進めてしまい、学校の勉強は復習くらいのつもりで学習した方が良いと思います。これを大体夏休みまでに終わらせ、2学期からは一問一答とともに記述型の問題演習に力を入れましょう。論述の対策としては、過去問は解いて解きすぎることはないと思います。自分は過去30年分を解きました。参考書であれば中論述に近い問題が多く載っているものを使うと論述にも慣れますし、知識の穴を埋めていくこともできるのでお勧めです。

第**6**章

帝国主義と
二つの大戦

6章には、第一次世界大戦・第二次世界大戦という
人類史上において非常に重要な事件が含まれるが、
だからこそ、その大きな事象に向かって
どのような動きがあったのか、
知識を線でつなげて考察できるようにしておきたい。
東大の大論述問題では「戦争を助長したり、
あるいは戦争を抑制したりする傾向が、
三十年戦争、フランス革命戦争、第一次世界大戦という
3つの時期にどのように現れたのか」という
問題が2006年に出題されている。

KEY WORD

甲午農民戦争

Q232 1894年に朝鮮で起こった甲午農民戦争を主導したとされる、朝鮮南部の農民の間で広まった宗教（結社）を何と呼ぶでしょう？

Q233 日清戦争の講和条約である下関条約で、日本が獲得することになった三つの領土はどこでしょう？

Q234 日清戦争で活躍した北洋艦隊の創設者で、日清戦争後の下関会議では全権大使として出席した清の政治家は誰でしょう？

答え➡

A232 東学（東学党）

A233 遼東半島、台湾、澎湖諸島

A234 李鴻章

 解説

　1894年、崔済愚が創始した東学の全琫準が朝鮮南部で反乱を起こすと、これを契機に甲午農民戦争が勃発する。日清両国は朝鮮への派兵を決定、結果、両軍が衝突する日清戦争にまで発展していく。日清の両国は朝鮮の利権をめぐって以前から対立を続けており、この10年前の1884年には甲申事変と呼ばれる騒動でも両国は朝鮮に出兵していた。このときに結ばれた天津条約には、今後一方が朝鮮に兵を送る際には他方に報告するという協定が記されており、これが甲午農民戦争における2国による朝鮮派兵への呼び水となっていた。日清戦争は、先に軍や経済の近代化を成し遂げた日本側が勝利し、日本は下関条約によって多額の賠償金と共に、遼東半島、台湾、澎湖諸島を獲得することになった（のちの三国干渉によって遼東半島は清へ返還）。一方、李鴻章らが以前より進めていた、軍の近代化をはじめとする洋務運動の結果が日清戦争の敗北であり、清は政策転換を迫られる。だが、その後は列強による中国分割が加速していった。

KEY WORD

門戸開放宣言

Q235 1898年の米西戦争に勝利したアメリカが獲得し、中国進出への足掛かりとしようとした東南アジアの地域はどこでしょう？

Q236 1899年に中国における門戸開放と機会均等を謳う声明を発表した、アメリカの当時の国務長官は誰でしょう？

Q237 19世紀末の中国で列強によって盛んに行われた、条約によって他国の領土の一部を借りることを漢字二文字で何というでしょう？

答え➡

A235 フィリピン

A236 ジョン=ヘイ

A237 租借

 解説

　日清戦争で清が敗北して以降、列強による清への支配は強まることとなった。この背景には、敗戦国として多額の賠償金を支払わなければならなかった清が列強に対し、鉄道敷設権や鉱山採掘権などを担保に多額の借款をしたこと、敗戦によって清の弱体化が露呈したことなどが挙げられる。

こうして列強の利権獲得競争が始まり、中国分割が進んだが、アメリカはアメリカ大陸の支配に時間を取られて出遅れていた。この遅れを取り戻すため、当時の国務長官ジョン=ヘイの名で1899年に各国へ通達されたのが門戸開放宣言である。この宣言において、アメリカは中国における門戸開放と機会均等を、翌1900年には領土の保全を提唱して列強諸国を牽制した。

中国の分割

ロシア

旅順　大連

威海衛(イギリス)

膠州湾

日本

福建省

台湾

広州湾

九龍半島

マカオ(ポルトガル)

フランス領インドシナ連邦

日本　　イギリス
ロシア　　フランス
ドイツ

KEY WORD

義和団事件

Q238 のちに義和団の蜂起にもつながった、19世紀から20世紀にかけて中国で起こった反キリスト教運動を何というでしょう?

Q239 蜂起した義和団がスローガンとして掲げた、列強の排斥を求める言葉は何でしょう?

Q240 義和団事件後の清で、西太后が中心となって行われた近代化改革は何でしょう?

答え→

A238 仇教運動
きゅうきょう

A239 扶清滅洋
ふしんめつよう

A240 光緒新政
こうしょしんせい

🖋 解説

　列強による分割が進む清朝において、列強への反感からキリスト教を排斥しようとする思想が高まった。この結果、白蓮教の流れをくむ秘密結社の義和団が「扶清滅洋」を掲げて蜂起したのが義和団事件である。彼らは教会や鉄道を襲撃、北京を占領し、外国大使館を包囲した。これに対し清朝は、初め鎮圧路線をとったものの、やがて義和団を支持して列強へ宣戦布告したため、日・英・米・独・仏・伊・露・墺の8ヶ国は共同出兵して北京を陥落させた。これを踏まえて1901年に北京議定書が調印され、清は巨額の賠償金の支払義務を負うとともに外国軍隊の北京駐屯を認めることとなったため、中国の半植民地化がさらに加速した。これに危機感をおぼえた清朝ではその後、西太后らの主導により光緒新政が行われ、科挙の廃止や軍の再編成などによって近代化を目指したが、立憲君主制を定めた憲法大綱を発布し、中央集権的な改革であったため、民衆の反発を招いて失敗に終わった。

▶義和団の天津の戦い

KEY WORD

シオニズム

Q241 19世紀末にフランスで発生した冤罪事件で、ヨーロッパにおけるシオニズムのきっかけとなったといわれる事件とは何でしょう？

Q242 ヨーロッパにおける反ユダヤ感情を象徴する作品としても知られ、強欲なユダヤ人高利貸しが登場する、シェイクスピアの喜劇は何でしょう？

Q243 ユダヤ教の聖地とされるイェルサレムにあり、特に離散したユダヤ人の統合の象徴としてユダヤ教徒から特別の扱いを受ける遺跡とは何でしょう？

答え➜

A241 ドレフュス事件

- -

A242 ベニスの商人

- -

A243 嘆きの壁

 解説

　シオニズムとは、世界のユダヤ人に対して、かつてイェルサレム王国が
あった地に再びユダヤ人国家を建設しようと呼び掛けた運動である。ヨー
ロッパでは、聖書における記述や、ロスチャイルド家のように経済的に成
功した者が多かったことが影響し、根深い反ユダヤ感情が存在していたが、
19世紀末にフランスで起きたドレフュス事件をきっかけにシオニズム運動
が始まったとされる。ドレフュス事件は、ユダヤ人の軍人ドレフュスがド
イツのスパイであるという冤罪を被った上、それが冤罪であったことを隠
蔽されたことが発覚し、軍部を擁護する声とドレフュスの救済を求める声
で国論が二分したもの。この事件を取材したユダヤ人ジャーナリストのヘ
ルツルは反ユダヤ感情の根深さを実感、シオニズム運動を開始し、1897
年に第1回シオニスト会議を開
催した。シオニズムの名は、ユ
ダヤ教の聖地イェルサレムに
あるシオンの丘に由来してい
る。

▶ドレフュス事件の裁判

LE PROCÈS DE RENNES : Dreyfus devant le Conseil de guerre.

KEY WORD

辛亥革命

Q244　1911年に清朝が制定した、民衆の激しい反発を招いたことで辛亥革命の引き金となった政策とは何でしょう？

Q245　辛亥革命によって清が滅ぼされると同時に退位した、清朝最後の皇帝は誰でしょう？

Q246　日本に亡命していたときは中山樵と名乗っていた、辛亥革命を指揮した人物とは誰でしょう？

答え➡

A244 幹線鉄道国有化

A245 宣統帝溥儀（せんとうていふぎ）

A246 孫文

解説

　1911年、清朝は財政難を克服するために幹線鉄道国有化を発表した。だが、対象となった鉄道の多くは、列強から鉄道敷設権や鉱山採掘権などを奪い返す利権回収運動によって、中国人資本家らが保有していた民族資本だった。そのため、国内の民衆から反発を買い、四川暴動が発生する。次いで兵士による武昌蜂起が起き、辛亥革命につながった。辛亥革命を指揮した孫文が南京で中華民国の建国を宣言する一方、北京では宣統帝溥儀が退位し、清朝はここに滅亡を遂げる。その後、孫文は臨時大総統に選ばれるが、軍事政権を敷こうとする袁世凱と衝突、軍事力に屈して、日本への亡命を余儀なくされる。

▲明と清の両王朝で宮殿であった紫禁城

KEY WORD

サラエボ事件

Q247 サラエボ事件を引き起こした要因の一つであり、青年トルコ革命を理由にオーストリアが1908年に起こした政策とは何でしょう?

Q248 第一次世界大戦でイタリアがオーストリアに宣戦布告した理由でもあった、両国間で対立していた領土問題を何というでしょう?

Q249 ドイツ陸軍がフランスとロシア両国に侵攻する作戦として20世紀初頭に計画され、第一次世界大戦で実行に移されたプランとは何でしょう?

答え➡

A247 ボスニア・ヘルツェゴヴィナ併合

A248 未回収のイタリア

A249 シュリーフェン・プラン（計画）

 解説

　オーストリア皇太子がセルビア人青年によって暗殺されるというサラエボ事件、その背景にはオーストリアがボスニア・ヘルツェゴヴィナを併合し、セルビアの勢力拡大を阻んだという背景があった。以前からゲルマン民族とスラヴ民族の対立という火種を抱えたバルカン半島だったが、この事件を受けてオーストリアがセルビアに宣戦布告、セルビアと同じスラブ系で南下政策を図るロシアがオーストリアに参戦し、一気に世界大戦へと発展する。当初、英仏露の三国協商と独墺伊の三国同盟の戦いになると予想されたが、未回収のイタリアと呼ばれる領土問題を抱えるイタリアがオーストリアに宣戦布告した。また、ドイツはシュリーフェン・プランに基づき、先にフランスを征服し、その後、軍隊の招集に時間がかかるだろうロシアを迎撃する予定でいたが、シュリーフェンの死去や、侵攻ルートにあった中立国ベルギーの反抗やロシア軍の迅速な招集など、誤算がいくつも重なっていく。最終的にはアメリカの参戦により、ドイツとオーストリア軍の敗戦は決定的なものとなった。

KEY WORD

レーニン

Q250 1917年に発生したロシア革命によって混乱の中にあるロシアが、ドイツとの間に結んだ講和条約とは何でしょう？

Q251 少数の革命家による革命を志向するボリシェヴィキに対し、多数の民衆による革命を志向する社会主義の一派を何というでしょう？

Q252 1917年にレーニンが第一次世界大戦の交戦国すべてに呼び掛けた、無併合・無賠償・民族自決を内容とする主張を何というでしょう？

答え→

A250 ブレスト＝リトフスク条約

A251 メンシェヴィキ

A252 平和に関する布告

解説

　レーニンは、少数の革命家集団による社会主義革命を目指すボリシェヴィキの一人で、第一次世界大戦中の1917年にロシアで二月革命（三月革命）が起きると、亡命していたスイスからロシアに戻り、革命を指揮した。だが、ロシア革命後に成立したケレンスキー首相率いる臨時政府は戦争続行を選択、否定的だったレーニンは、国際社会に「平和に関する布告」を発表して即時停戦を呼び掛ける一方、臨時政府から権力を奪ってボリシェヴィキ単独政権を樹立させ、ドイツとの間でブレスト＝リトフスク条約を成立させてもいる。

▲レーニン像（ウラン・ウデ）

KEY WORD

ヴェルサイユ体制

Q253 ヴェルサイユ条約の第1条には国際連盟設立について書かれていますが、これを最初に提唱した人物は誰でしょう？

Q254 ヴェルサイユ体制の基本理念の一つである「民族自決」を体現する形で1918年にオーストリアから独立したマジャール人国家はどこでしょう？

Q255 1923年にドイツの首相兼外務大臣に就任すると新通貨レンテンマルクの発行でインフレ収束に成功させたほか、首相を退陣後も外務大臣を生涯続けてロカルノ条約締結などで戦間期ヨーロッパの平和外交に貢献した人物といえば誰でしょう？

答え➡

A253 ウィルソン（アメリカ大統領）

A254 ハンガリー

A255 シュトレーゼマン

解説

　ヴェルサイユ条約は、第一次世界大戦でドイツと交戦した連合国とドイツとの間で結ばれた講和条約で、パリ講和会議で討議され、ヴェルサイユ宮殿で調印された。この条約の元に成立した世界秩序がヴェルサイユ体制で、国際連盟を中心とした国際協調主義、軍縮、民族自決が盛り込まれ、その後、国際連盟の設立やロンドン海軍軍縮条約、ハンガリーやチェコスロバキアの独立などの成果を上げたが、一方で、国際連盟の機能不全や、民族自決がアジアやアフリカには適用されなかったなど、多くの課題を残した。1925年のロカルノ条約でドイツ国境がほぼ確定し、翌年にはドイツが国際連盟加盟を果たしたことでヴェルサイユ体制は最大の安定期を迎えるが、1936年にドイツがラインラントへ進軍させてヴェルサイユ条約・ロカルノ条約を破り、体制も崩壊した。

▶ヴェルサイユ条約の調印

KEY WORD

ミュンヘン会談

Q256 ミュンヘン会談でドイツが要求した、当時チェコスロバキア領だった地方はどこでしょう?

Q257 ミュンヘン会談でイギリスとフランスが採った、ナチスドイツに対して譲歩的な政策のことを「何政策」と呼ぶでしょう?

Q258 イギリスのチェンバレン首相の兄オースティン=チェンバレンらが締結の中心となった、1925年にラインラントの非武装化などを定めた条約は何でしょう?

答え→

A256 ズデーテン

A257 宥和政策

A258 ロカルノ条約

✎ 解説

　ドイツの「生存圏」確保と再統一を目的に、ドイツ人の多いズデーテン地方の割譲を求めたヒトラーだったが、イギリス首相ネヴィル＝チェンバレンは対話を要求、ミュンヘン会談でフランスと共にその要求を受け入れた。チェンバレン首相がとった宥和政策は、戦争の危機を一時的に回避したとして当時のイギリスでは賞賛されたが、のちのイギリス首相チャーチルは、その後のドイツがチェコスロバキアを分割した上で支配下に置き、結果、世界が第二次世界大戦へ突入したことから厳しく批判している。以降、政治的緊張を高める強硬的な政策（＝瀬戸際政策）に対して妥協する姿勢を見せてはいけない、という「ミュンヘンの教訓」が定説となった。ちなみにチェンバレン首相の兄は、イギリス外務大臣時代に、ドイツ、フランス、ベルギー3国の相互不可侵条約などを含んだロカルノ条約の締結を成功させたオースティン・チェンバレンである。

▶ミュンヘン会議後、帰国して会見を行うイギリス首相チェンバレン

KEY WORD

大西洋憲章

Q259 第二次世界大戦後、大西洋憲章を元に設立された国際連合の本部があるのはどこでしょう？

Q260 大西洋憲章の発表によってファシズムとの対決姿勢を打ち出すまでアメリカが伝統的に保っていた中立主義を、その姿勢を明文化した教書にちなんで何と呼ぶでしょう？

Q261 アメリカ大統領フランクリン＝ローズヴェルトと共に大西洋憲章を発表したイギリス首相チャーチル首相が、第二次世界大戦後の1953年に受賞した賞とは何でしょう？

答え➡

A259 ニューヨーク

A260 モンロー主義

A261 ノーベル文学賞

解説

　大西洋憲章とは1941年にフランクリン＝ローズヴェルト大統領とチャーチル首相が会談し、アメリカとイギリスの戦後構想について出した声明である。その内容の一つに恒久的な安全保障制度の実現が織り込まれ、同年にソ連などのほか連合国に承認され、国際連合（本部：ニューヨーク）の発足につながっていく。大西洋憲章では独伊をはじめとするファシズムとの対決が想定されており、それはアメリカが伝統的な中立政策であるモンロー主義を放棄して、連合国と行動を共にすると宣言することを意味した。事実、1941年3月にアメリカは武器貸与法を制定し、イギリスのみならずソ連などにも兵器を貸与していく。また、第二次世界大戦の中心的人物として活躍したチャーチルは、戦後に執筆、発行した第二次世界大戦の回顧録などの作品が認められ、ノーベル文学賞を受賞している。

▶会談するチャーチル英首相とフランクリン＝ローズヴェルト米大統領

KEY WORD

ニューディール政策

Q262 作付けの制限などで農産物の価格引き上げをはかった、ニューディール政策における農業政策とは何だったでしょう？

Q263 ニューディール政策の一つで、労働者の団結権や団体交渉権を認めたり、労働者の保護や公共事業促進を図ったりした産業政策は何でしょう？

Q264 公社によってダムの建設と発電、植林や水運の改善などを推進した、ニューディール政策における総合開発事業といえば何でしょう？

答え→

A262 農業調整法（AAA）

A263 全国産業復興法（NIRA）

A264 テネシー川流域開発公社（TVA）

解説

　1929年の株価大暴落に端を発した世界恐慌への対策として、アメリカ大統領フランクリン＝ローズヴェルトはニューディール（「新規まき直し」の意）政策を掲げた。同政策の中心となるのは、農業調整法（AAA）、全国産業復興法（NIRA）、テネシー川流域開発公社（TVA）の3本柱で、従来の自由放任政策から、政府が積極的に介入する経済統制への転換を図った。だが、農業調整法と全国産業復興法は違憲判決を受けて廃止に、そのため、前者からは第二次農業調整法が、後者からは全国労働関係法（通称「ワグナー法」）が制定された。特にワグナー法は労働者の団結権や団体交渉権を保障しており、労働組合運動を大きく発展させる効果をもたらした。

▶大暴落後、ウォール街に集まった群衆

◆第一次世界大戦時(1914~1918年)各国関係◆

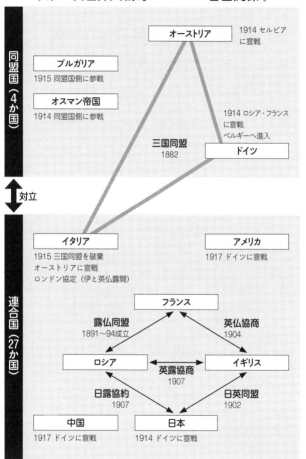

同盟国(4か国)

オーストリア
1914 セルビアに宣戦

ブルガリア
1915 同盟国側に参戦

オスマン帝国
1914 同盟国側に参戦

三国同盟
1882

ドイツ
1914 ロシア・フランスに宣戦
ベルギーへ進入

↕ 対立

連合国(27か国)

イタリア
1915 三国同盟を破棄
オーストリアに宣戦
ロンドン協定(伊と英仏露間)

アメリカ
1917 ドイツに宣戦

フランス

露仏同盟
1891~94成立

英仏協商
1904

ロシア

英露協商
1907

イギリス

日露協約
1907

日英同盟
1902

中国
1917 ドイツに宣戦

日本
1914 ドイツに宣戦

社会科目勉強法の一例

理科一類1年 葛川大斗

　社会科目の定期テスト対策で私がしていたことは2ステップにわかれます。一つ目が、知識を暗記すること。二つ目が、覚えた知識同士の関係性を説明できるようになること。知識を蓄えるフェーズでは、私の先生が用意してくださったこともあって、一問一答形式で暗記していました。クイズはそのときから好きでしたし、自分にとってその形式がわかりやすかったのでそうしていました。しかし、一問一答形式で語彙を増やしても、少なからずテストで聞かれる関連性を説明する問題だったり、または問題のリード文での伏線に気づくことができなかったりしたことから「もう一段階必要だな」と思って関係性にも視点を置いた次第です。今思えばこれは「点をとるため」の戦略で、勉強に対する意識としてはどうかとは思いますが、当時高校生クイズ大会に一緒に出場したメンバー含め数人と学年の首席を争奪していたので……。

　そして、関連性を説明できるようになるための勉強法なのですが、これは関連性を説明しなければならない立場の人を真似することにしました。具体的には、「先生の授業を再現してしまえ!」ということです。そのためにも社会科目の授業の受け方は、板書を取ることはもちろん、先生の話す内容を一縷も逃さぬ勢いでメモしていました。まさに「只管打"メモ"」といった感じに。定期テストで好成績を残すために必要な知識量が板書で足りるとしても、メモは書き逃すことはなく。結果、常にノートは文字の海で、板書を韜晦せんばかりの稠密なノートが出来上がりますが、こうしたメモを見ながらですと授業を想起するのが容易くなりました。

　これはあくまで私が採用した一例で、社会に限らず、勉強法に一般解はありません。ですが、各個人の正解に漸近できる勉強法に出会うまで新しいものを編み出したり、他人を模倣したり、あるいはその一部を摂取したり、と試行錯誤を繰り返すことをお勧めします。そのご参考までに。

第 **7** 章

大戦後の国際主義と民主運動

7章では大戦を経た世界を中心に取り上げていく。

東大の大論述問題では「第二次世界大戦中に生じた出来事が
1950年代までの世界に与えた影響」(2005年)、
「1970年代後半から1980年代にかけての、
東アジア、中東、中米・南米の政治状況の変化」(2016年)
といった出題が過去になされた。

大戦後の冷戦下情勢など
世界大戦前後の連続性には留意しておきたい。

また、2011、2012年と連続で
「ドイモイ」(刷新、市場経済の活性化を目指してベトナム共産党が
掲げたスローガン)が指定語句として入ったように
第三世界諸国の動きも押さえておきたいポイントである。

KEY WORD

ブレトン=ウッズ体制

Q265 ブレトン=ウッズ体制ではUSドルを金と交換可能な基軸通貨としていますが、このように金との交換が保証された通貨（紙幣）のことを何というでしょう？

Q266 1947年に差別的・閉鎖的な貿易を禁止して自由貿易を促進する目的で設置され、1995年のWTO（世界貿易機関）発足に伴いその役割を譲ることになった国際協定は何でしょう？

Q267 ブレトン=ウッズ体制下における固定相場制では、円は1ドルいくらだったでしょう？

答え→

A265 兌換紙幣(だかん)

A266 GATT（関税及び貿易に関する一般協定）

A267 360円

 解説

　ブレトン＝ウッズ体制では、金と交換可能な基軸通貨としたUSドルを中心に、ドルと各国通貨との交換比率を固定（固定相場制）、それによって為替相場の安定を図った。そのスタートは、第二次世界大戦が完結していない1944年に米英といった連合国の合意にあり、大戦が1930年代の経済的混乱から発生したという反省が迅速さを生んだとも言える。さらにブレトン＝ウッズ体制下では、自由貿易と経済成長を支える基盤としてGATT、IMF（国際通貨基金）、IBRD（国際復興開発銀行）が設立されている。ブレトン＝ウッズ体制において日本の為替固定相場は1ドル＝360円と定められ、これは1971年にブレトン＝ウッズ体制が崩壊してスミソニアン体制に移行するまで続いた。

ブレトン＝ウッズ体制（1944〜1971年）

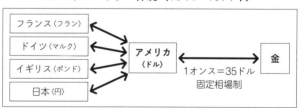

KEY WORD

中東戦争

Q268 「大災害」という意味を持つ、アラブ側が第一次中東戦争のことを呼ぶときに使った言葉といえば何でしょう?

Q269 第二次中東戦争勃発のきっかけとなった、1956年にエジプトのナセルが国有化を宣言した運河の名は何でしょう?

Q270 第四次中東戦争の際に石油価格を引き上げたことでオイルショックを招いた、正式名称が石油輸出国機構という組織の略称といえば何でしょう?

答え➜

A268 アン・ナクバ

A269 スエズ運河

A270 OPEC（石油輸出国機構）

 解説

　パレスチナを巡る四度の中東戦争のうち、第二次以降については、イスラエルを西側諸国が、アラブ側を東側諸国が支援したことから冷戦下の代理戦争的な性格を持つと見ることもできる。パレスチナ地域は元々イギリスの委任統治下に置かれていたが、イギリスの三枚舌外交により民族間の対立が起きていた。そこで1947年には国連がアラブ人とユダヤ人がパレスチナを分割統治することを決議するも、それを受けて1948年にイスラエル国が建国を宣言すると、反発したアラブ人が蜂起、第一次中東戦争が勃発してしまう。結果はイスラエル側が勝利を収め、分割案以上の領土を獲得するとともに大量のパレスチナ難民が発生することとなった。続いて1956年、エジプトのナセル大統領がアスワンハイダム建設資金確保のためにスエズ運河の国有化を宣言すると、イギリス・フランス・イスラエルがエジプトに出兵し、第二次中東戦争が起こったが、国際世論の非難を受けた3国は撤退に追い込まれ、アラブ勢力の中でエジプトの地位が高まることとなった。1967年にはイスラエルがアラブ側を奇襲して第三次中東戦争が起きたが、イスラエルが大勝を収め、領土を大きく拡大させた。この失地回復のため、エジプトとシリアがイスラエルを攻撃したことから第四次中東戦争が勃発。結果として、イスラエルの勝利に終わったことでアラブ側の領土回復とはならなかったが、親イスラエル国に対するOAPEC（アラブ石油輸出国機構）の石油の禁輸姿勢や、OPECによる石油価格の引き上げという石油戦略により、アラブ側が政治的には有利に進めた。その後、1979年にエジプトはイスラエルとの単独講和に踏み切ったため、中東戦争は終結したが、アラブ側の足並みは乱れることとなった。

KEY WORD

アジア・アフリカ会議

Q271 インドネシアの初代大統領に就任し、民族主義・宗教（イスラーム）・共産主義の三者が協調する体制を追求した政治家は誰でしょう？

Q272 第三世界の国々が独立を果たして増えていく中、1973年に国連発足後初めて公用語に追加された言語とは何でしょう？

Q273 非同盟主義をとっていたインドがアメリカに接近するなど、大幅な路線変更を余儀なくされた1962年の紛争といえば何でしょう？

答え→

A271 スカルノ

A272 アラビア語

A273 中印国境紛争

 解説

　1955年に開催されたアジア・アフリカ会議では、民族・宗教・社会制度といった違いを超え、アメリカ、ソ連のどちらにも属さない第三世界として結束を強めることを宣言した。この会議の中心的存在でもあった中国の周恩来首相とインドのネルー首相は、その会議以前から関係を深めていたが、両国間における国境論争が原因となって急速に関係は悪化。1962年には直接戦火を交える中印国境紛争が起きると、ネルー首相が、米ソからの支援を受けざるを得なくなった。一方、中東地域でも米ソの支援を受ける国々が出てきたことから、第三世界の結束は曲がり角を迎えることになり、結果、アジア・アフリカ会議は冷戦下では1955年の第1回以降、開催されることはなかった。

アジア・アフリカ会議で宣言された平和十原則

1. 基本的人権と国連憲章の尊重	6. 集団防衛の排除
2. 主権と領土保全	7. 武力侵略の否定
3. 人種と国家間の平等	8. 国際紛争の平和的解決
4. 内政不干渉	9. 相互協力の促進
5. 自国防衛権の尊重	10. 正義と国際義務の尊重

KEY WORD

ブラント

Q274 西ドイツのブラント首相が東側陣営との協調を図る東方外交の一環として承認を決定した、1945年にソ連が一方的に決定した東ドイツとポーランドの国境を何と呼ぶでしょう?

Q275 戦後のドイツで、ブラントが党首を務めた社会民主党と二大政党を構成し、アデナウアーやコール、メルケルなど歴代首相を多く輩出してきた政党といえば何でしょう?

Q276 ブラント首相の在任中の1972年に西ドイツで開催された、テロ組織「黒い九月」のイスラエル選手襲撃事件でも記憶されるオリンピック開催地はどこでしょう?

答え➡

A274 オーデル＝ナイセ線

A275 キリスト教民主同盟（CDU）

A276 ミュンヘン

🖋 解説

　西ドイツ初の社民党出身首相であるブラントは、在任中に東西ドイツ基本条約を締結するなど、東ドイツとの国交正常化を実現したが、これは西ドイツにとってアデナウアー政権から続いた東西対立路線からの転換だけではなく、オーデル＝ナイセ線を承認し、東プロイセン地域を放棄することを意味したため、国内で大きな論議となった。その一方、東西ドイツの関係正常化はヨーロッパに一定の安定をもたらし、1973年に東西ドイツの国際連合同時加盟を実現につなげてもいる。東方外交の功績が評価されたブラントは1971年にノーベル平和賞を受賞した。

▲ホワイトハウスで会談するケネディ米大統領とブラント西独首相

KEY WORD

中ソ対立

Q277 1956年の共産党第20回大会でスターリン批判を行った、当時の第一書記は誰でしょう?

Q278 中国語では珍宝島と呼ばれる、1969年に中国とソ連の武力衝突が起こったウスリー川の島は何でしょう?

Q279 共産圏初の近代オリンピックであったものの、前年のアフガニスタン侵攻によって西側諸国のボイコットを招いた1980年のオリンピックが行われた場所はどこでしょう?

答え→

A277 フルシチョフ

A278 ダマンスキー島

A279 モスクワ

 解説

　共に社会主義を標榜していたソ連と中国は、戦後から同盟関係を維持し、1950年には中ソ友好同盟相互援助条約を締結していたが、1950年代後半から徐々にその足並みは乱れ始め、1956年のスターリン批判によりソ連が平和共存路線をとるとその対立は本格化していく。キューバ危機でのソ連の譲歩や、アメリカやイギリスとの部分的核実験停止条約（PTBT）にソ連が参加したことなどをきっかけに対立は激化し、1969年には中ソ国境のウスリー川に浮かぶダマンスキー島で中ソ国境紛争と呼ばれる武力衝突が起こる。この対立構造が、アメリカに中国への接近を決意させる。1980年代に入ると対立は沈静に向かい、1989年のゴルバチョフ訪中により中ソ関係は正常化したとされている。

中ソ国境紛争（1969年）

KEY WORD

キューバ危機

Q280 アイルランド系移民の家系に生まれたケネ
ディ大統領はアメリカの政治家としては数
少ない、ある宗派の教徒でした。その宗派
とは何でしょう？

Q281 キューバ革命は、その性質や革命主導者で
あったカストロの服装からある色で表現さ
れることがあります。さて、何色の革命と
呼ばれるでしょう？

Q282 キューバ危機によって世界的な核戦争に至
る危険性を初めて感じた米ソ両国とイギリ
スは1963年にある条約を結びました。その
条約とは何でしょう？

答え➜

A280 カトリック

A281 オリーブ

A282 部分的核実験禁止条約(PTBT)

解説

　キューバでカストロが独裁者バティスタを倒し、社会主義政権を成立させる過程をキューバ革命と呼ぶが、革命以降、キューバとアメリカの関係は悪化していき、その一方でソ連とは親密度を増していった。キューバの社会主義政権存続を望むソ連はキューバ防衛のためにミサイルを配備、だがそれを受けてアメリカ大統領ケネディはキューバ周囲を海上封鎖する。米ソ両首脳による交渉から危機は回避されたものの、一時は軍事衝突、核戦争も危ぶまれた事態から、核保有国が核兵器の扱いについて真剣に協議する流れが生まれた。キューバ危機の翌年となる1963年、核保有国米ソ英による、核使用の制限を盛り込んだ初の条約となる部分的核実験禁止条約（PTBT）が結ばれた。

▶訪米したカストロ議長（1959年）

KEY WORD

ペレストロイカ

Q283 1979年に侵攻するも戦局が泥沼化し、1989年に撤退を完了するまでソ連軍が駐留し続けた国はどこでしょう？

Q284 ペレストロイカを推進した最後のソ連書記長は誰でしょう？

Q285 ソ連が危機を覚えてペレストロイカを選択した背景の一つとなった、アメリカによるミサイル迎撃構想（作戦）を何というでしょう？

答え →

A283 アフガニスタン

A284 ゴルバチョフ

A285 SDI（戦略防衛構想、通称「スター・ウォーズ計画」）

✒ 解説

　1985年に書記長へ選出されたゴルバチョフは、ペレストロイカ（建て直し）、グラスノスチ（情報公開）、新思考外交からなる改革政策を推し進めたが、その代表例として挙げられるのが、アフガニスタンからの撤退、アメリカとのマルタ会談における冷戦終結宣言、専占の廃止、複数政党制の導入などである。改革の背景には、ソ連の慢性的な経済的不況があり、特にアメリカ大統領レーガンがミサイル迎撃によるSDI（戦略防衛構想）を発表すると、その軍拡政策に呼応する経済的余裕を持たないソ連としては方針転換を迫られる形となった。だが、一連の改革は必ずしもゴルバチョフの思い通りには進まず、1991年には保守派によるクーデターをきっかけにした政治的混乱の中で、ソ連は解体を余儀なくされていく。

▶アメリカ大統領ロナルド・レーガン（右）とINF全廃条約に署名するゴルバチョフ（左）

KEY WORD

ベルリンの壁の崩壊

Q286 イリヤ＝エレンブルグの小説名を基とする、スターリン死後のソ連社会を表した言葉は何でしょう？

Q287 中国に「修正主義」と評された、フルシチョフが尽力した米ソ緊張緩和政策とは何でしょう？

Q288 東西ドイツが統一されたときの初代大統領は誰でしょう？

答え→

A286 雪どけ

A287 平和共存政策

A288 ヴァイツゼッカー

 解説

　1961年に東ドイツの手で西ドイツへの亡命を防ぐために建造された「ベルリンの壁」は、全長約155kmに及び、東西ドイツを分断していたが、1989年、ベルリン市民により崩壊させられた。崩壊の翌年にあたる1990年の8月、統一条約が調印され、ザクセン州など東ドイツの5州が西ドイツに併合、同年10月にはドイツ連邦共和国として再統一されることになった。冷戦の象徴であったベルリンの壁崩壊後、1989年にはアメリカのブッシュ大統領とソ連のゴルバチョフ書記長が会談、1991年の12月にはソ連初の大統領となっていたゴルバチョフが辞任、ソ連も解体されることとなる。

▲ニュージアム（ワシントンD.C.）に展示されていたベルリンの壁の遺物

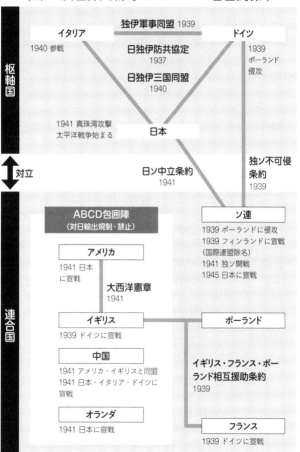

◆第二次世界大戦時(1939〜1945年)の各国関係◆

枢軸国

独伊軍事同盟 1939

イタリア

ドイツ

1940 参戦

日独伊防共協定
1937

日独伊三国同盟
1940

1939
ポーランド
侵攻

1941 真珠湾攻撃
太平洋戦争始まる

日本

↕ 対立

日ソ中立条約
1941

独ソ不可侵
条約
1939

ABCD包囲陣
(対日輸出規制・禁止)

ソ連

1939 ポーランドに侵攻
1939 フィンランドに宣戦
(国際連盟除名)
1941 独ソ開戦
1945 日本に宣戦

アメリカ

1941 日本
に宣戦

大西洋憲章
1941

連合国

イギリス

ポーランド

1939 ドイツに宣戦

中国

1941 アメリカ・イギリスと同盟
1941 日本・イタリア・ドイツに
宣戦

イギリス・フランス・ポー
ランド相互援助条約
1939

オランダ

1941 日本に宣戦

フランス

1939 ドイツに宣戦

七大オススメ世界史参考書とその活用法

文科三類1年 I・T

　　令和3年度共通テスト世界史B満点の私が、世界史のオススメ参考書とその
活用法を紹介します！

①**児童向けの世界史学習漫画** 【ゼロから学習を始める方へ】私は高2の冬か
ら学習漫画で世界史学習を始めました！　視覚的に世界史全体のストーリーを
つかめます。近所の図書館に行けば置いてあると思いますよ！

②**《新版これならわかる！》ナビゲーター世界史B** 【教科書をわかりやすくか
み砕いたシリーズ！】通史ならコレ！　わかりやすさはピカイチです。記述対策
にも◎　教科書代わりに受験本番まで使用してほしいシリーズです。

③**教科書** 【弱点検索に！】コンパクトな記述でまとめられているので、出てき
た語句や歴史事項を自分で説明できるかチェックしましょう。

④**ポイントマスター世界史Bの焦点 第2版(山川出版社)** 【最強の世界史まと
めノート！】一番オススメの参考書です！　テーマごとに漏れなく重要事項がま
とまっています。便利すぎて2冊持っていました(笑)。

⑤**元祖 世界史の年代暗記法(大学JUKEN新書)** 【年号暗記はこれ1冊！】厄介
な年代並び替え問題は語呂で攻略！　試験に出るポイントをしっかり押さえて
くれています。

⑥**新版 各国別世界史ノート(山川出版社)** 【世界史の知識をより体系的に！】
教科書や学校の授業では時代順に「ヨコ」の関係に重点を置いて学習をするた
め、どうしても各国史という「タテ」の流れが意識されにくくなります。この参
考書は世界史を各国別にまとめ直したもので、横糸に縦糸を編み込んでいくよ
うに世界史の知識を強固なものにしてくれる1冊です。

⑦**世界史B一問一答[完全版](東進ブックス)** 【抜群の網羅性！】☆で難易度順
が示されているため、自分の目標に合わせて使用することができます。慣れて
きたら問題文を隠して「答えから問題文を推測する」という活用法もできます！

第**8**章
グローバル化する現代社会

8章で取り上げるのは現代史。

東大の大論述問題では現代史からの出題は少なく、

2012年に出された「アジア・アフリカにおける

植民地独立の過程とその後の動向」くらいではあるが、

その際は論述内で使用するべき指定語句として

「宗教的標章法」が指示されてもいた。

政教分離に至る歴史＝タテと、グローバル社会＝ヨコが

複合的に絡む現代らしい語句ともいえるが、

現代との差異を問われることも想定しつつ、

現在進行形で起きている世界史として理解を深めておきたい。

KEY WORD

持続可能な開発

Q289 止まらない環境破壊に対処すべく1992年に開催された、国連環境開発会議の開催都市はどこでしょう？

Q290 バングラデシュの経済学者ムハンマド＝ユヌスが設立した、貧困に苦しむ人々を助けるために無担保で少額融資を行う銀行は何でしょう？

Q291 2015年の国連サミットで採択された、17のゴールと169のターゲットからなる国際的な開発目標をアルファベットの略称で何というでしょう？

答え→

A289 リオデジャネイロ

A290 グラミン銀行

A291 SDGs (Sustainable Development Goals)

 解説

　最近大きく取り上げられることが多くなった「持続可能な開発」という言葉は、環境問題への懸念から1980年代に生まれ、1992年に開かれた国際環境開発会議（地球サミット）で環境問題とともに社会問題とも結びつけられた。SDGsの前にもMDGs（ミレニアム開発目標）と呼ばれる、2015年までに達成する目標が掲げられていたが、それを継承したSDGsは2030年までの開発目標となっている。また、経済学者のムハンマド＝ユヌスが提唱したソーシャルビジネス（社会課題を解決することを目的とする事業）という考え方も広まっている。ユヌスは先駆けて1983年に、農村の貧困者への融資を目的とするグラミン銀行を設立しており、その功績から2021年の東京オリンピック開会式で国際オリンピック委員会よりオリンピック月桂冠を授与された。

MDGs (Millennium Development Goals、ミレニアム開発目標)

1：極度の貧困と飢餓の撲滅	6：HIV／エイズ、マラリア、そのほかの疾病の蔓延の防止
2：初等教育の完全普及の達成	7：環境の持続可能性確保
3：ジェンダー平等推進と女性の地位向上	8：開発のためのグローバルなパートナーシップの推進
4：乳幼児死亡率の削減	
5：妊産婦の健康の改善	

KEY WORD

マーストリヒト条約

Q292 1993年に発足したEU（欧州連合）の本部はどこにあるでしょう？

Q293 1967年、EEC、ECSC、EURATOMを統合する形で成立した、ヨーロッパの経済共同体は何でしょう？

Q294 2009年、EUではある国で生じた財政危機を発端としてEU単一通貨のユーロが大暴落するユーロ危機が発生したが、その原因となった国とはどこでしょう？

答え➜

A292 ブリュッセル

A293 EC（欧州共同体）

A294 ギリシャ

解説

EU（欧州連合）は、EC（欧州共同体）を前身とし、1993年に欧州連合の創設を定めたマーストリヒト条約が各国で批准されたことによって発足した。本部はECやその前身のECSC（欧州石炭鉄鋼共同体）の時代からヨーロッパ統合を牽引してきたベルギーの首都ブリュッセルに、EU議会の本会議場は歴史的に何度も戦争の舞台となってきたフランスのアルザス地方の中心都市ストラスブールに置かれている。EU発足後の大きな特徴としては単一通貨ユーロの導入が挙げられるが、2009年、ギリシャの深刻な財政赤字が発覚すると、それを発端として翌年のアイルランドの財政破綻、翌々年のイタリアのIM（国際通貨基金）監視下入りなどの金融不安が重なり、ユーロは大暴落した。このユーロ危機は現在の欧州経済にも影響を与えている。

EU加盟国 （2022/2/2現在）

アイルランド	クロアチア	ドイツ（加盟時西ドイツ）	ポルトガル
イタリア	スウェーデン	ハンガリー	マルタ
エストニア	スペイン	フィンランド	ラトビア
オーストリア	スロバキア	フランス	リトアニア
オランダ	スロベニア	ブルガリア	ルーマニア
キプロス	チェコ	ベルギー	ルクセンブルク
ギリシャ	デンマーク	ポーランド	

KEY WORD

アウンサンスーチー

Q295 自治獲得を目標とするビルマ人団体総評議会の結成などを含めた民族運動を何と呼ぶでしょう？

Q296 ビルマ人の完全独立を標榜する、1930年に結成された政党は何でしょう？

Q297 「インド独立の父」と呼ばれる社会運動家で、「非暴力・不服従」を理念に社会運動を展開したのは誰でしょう？

答え→

A295 ビルマ独立運動

A296 タキン党

A297 マハトマ＝ガンディー

解説

　アウンサンスーチーは、ビルマ独立運動の指導者で「ビルマ独立（建国）の父」と呼ばれたアウンサン将軍の娘で、「非暴力・不服従」を理念に社会運動を展開したガンディーから影響を受けて、ビルマにおける民主化運動を率先した。1988年に軍事政権に対する民主化運動のリーダーとなり、その軍事政権によって翌年、自宅軟禁状態とされてしまう。1991年にはノーベル平和賞を受賞し、1995年に解放されるも断続的な自宅軟禁が幾度もなされ、2021年現在もミャンマー国軍のクーデターにより、自宅軟禁の身となっている。

▶マハトマ・ガンディー

KEY WORD

ブレグジット

Q298 2010年に43歳の若さでイギリス首相に就任したものの、EU離脱を問う国民投票で賛成派が勝利したために首相を辞任した人物は誰でしょう?

Q299 イギリスは元来ヨーロッパ統合の動きと一線を画す傾向があり、その代表例の一つがユーロの不採用ですが、イギリスが現在も用いている通貨単位は何でしょう?

Q300 EUからの離脱交渉の際、アイルランドはイギリスがある地方との間に関所を設置することに強く抵抗しました。その地方とはどこでしょう?

答え➡

A298 デービッド=キャメロン

A299 ポンド

A300 アルスター地方

 解説

　1973年、ほかのヨーロッパ主要国より大幅に遅れてEC（欧州共同体）に加盟したイギリスだが、2016年に後継組織であるEU（欧州連合）からの離脱を選択する。その直接的な原因としては、特に2015年前後に中東移民が大量に押し寄せる中、EUに移民制限の決定権を奪われたことへの不満があると指摘されている。だが、それ以前からイギリスにはヨーロッパ統合への慎重論が根強くあり、ブレグジット（Brexit、EU離脱の意。Britainとexitから生まれた造語）交渉では、関税率や北海での漁業権などでイギリスとEUは激しく対立、2020年末にようやく合意に至った。問題を複雑化した要因には、地理的・歴史的にはアイルランドの一部である一方、宗教的にはアイルランドの中ではプロテスタントが多く、イギリス領となっている北アイルランドの扱いの難しさがあった。

イギリスEU国民投票の結果 (2016年)

残留 48.1%　離脱 51.9%

スコットランド
北アイルランド
イングランド
ウェールズ
ロンドン

下記に、2021年度の東京大学二次試験「世界史」の問1／大論述問題を、次ページには東大による出題意図を掲載する。出題意図に関しては、東大世界史問題における傾向をつかむ参考となるのでぜひ読んでみてほしい。

2021年度東京大学二次試験問題

世 界 史

第1問

　ローマ帝国の覇権下におかれていた古代地中海世界は、諸民族の大移動を契機として、大きな社会的変動を経験した。その際、新しく軍事的覇権を手にした征服者と被征服者との間、あるいは生き延びたローマ帝国と周辺勢力との間には、宗教をめぐるさまざまな葛藤が生じ、それが政権の交替や特定地域の帰属関係の変動につながることもあった。それらの摩擦を経ながら、かつてローマの覇権のもとに統合されていた地中海世界には、現在にもその刻印を色濃く残す、3つの文化圏が並存するようになっていった。

　以上のことを踏まえ、5世紀から9世紀にかけての地中海世界において3つの文化圏が成立していった過程を、宗教の問題に着目しながら、記述しなさい。解答は、600字以内で記し、次の7つの語句をそれぞれ必ず一度は用い、その語句に下線を付しなさい。

ギリシア語　　　グレゴリウス1世　　　クローヴィス　　　シズヤ
聖像画（イコン）　　バルカン半島　　　マワーリー

2021年度東京大学二次試験

「地理歴史 (世界史)」の出題意図

　本年度の世界史の試験問題では、歴史上に多様な事柄を広い文脈の中で考えてみる力を問うことを意図しました。教科書のなかでは異なった部分で説明されていることも、自分なりに整理して把握することが大切です。また、支配や差別、移動といった現象について、異なる地域と時代ごとに、そのような相違点や類似点があったのかを比較してみることも、歴史的位置づけを深く考えてみるのに役立ちます。

　第1問は、古代ローマ帝国の覇権崩壊から中世初頭までの地中海地域の歴史的変遷を主題としています。古代や中世の社会では政治・文化と宗教がとりわけ密接に結びついているため、特に以下の三点に関する理解を問いました。第一は、それまでキリスト教を中心的な宗教に位置づけて統治を行なっていたローマ帝国の支配域が、民族移動などの影響を受けて、ゲルマン諸王国、ビザンツ帝国、イスラーム勢力に分かれていく政治的過程です。第二に、支配者層が入れ替わる中で被支配者との間で生じた宗教に関するさまざまな軋轢が、政治的変動といかに関わっているかという問題です。最後に、宗教的・言語的に特徴ある文化圏が形作られていくと同時に、その地理的範囲が時々の情勢に応じて変容を遂げていった過程を、先の二点と関連させながら叙述できるかどうかを問いました。

東京大学クイズ研究会

（とうきょうだいがくくいずけんきゅうかい）
1982年創立。大学のクイズ研究会の中でも有数の歴史を誇り、『全国高等学校クイズ選手権』（日本テレビ系列）、『東大王』（TBS系列）など、さまざまなクイズ関連のテレビ・ラジオ番組、雑誌等で名を馳せるツワモノが集まる高IQ集団。伊沢拓司、水上颯、林輝幸、鈴木光、鶴崎修功ら「東大生スター」を数多く輩出。新しいクイズの研究・発表のかたわら、テレビのクイズ番組等に多くの問題を提供している。

東大脳(とうだいのう)に挑戦(ちょうせん)！
世界史(せかいし)クイズ

著者　東京大学(とうきょうだいがく)クイズ研究会(けんきゅうかい)
©2022 The University of Tokyo Quiz Club
Printed in Japan
2022年3月15日第1刷発行

発行者　佐藤 靖
発行所　大和書房(だいわ)
　　　　東京都文京区関口1-33-4 〒112-0014
　　　　電話 03-3203-4511
フォーマットデザイン　鈴木成一デザイン室
本文デザイン　石川妙子
本文イラスト　林田貴子
編集協力　清水耕司（セブンデイズウォー）、磯貝綾子
本文印刷　中央精版印刷
カバー印刷　山一印刷
製本　中央精版印刷

ISBN978-4-479-32004-3
乱丁本・落丁本はお取り替えいたします。
http://www.daiwashobo.co.jp